Ludwig Thoma
Lausbubengeschichten

Mit Zeichnungen von Olaf Gulbransson

Vereinfachte Fassung
von Hans Fratscher

Ernst Klett Stuttgart

Für die Vereinfachung des Wortschatzes wurde als Grundlage
benutzt:
Heinz Oehler, Grundwortschatz Deutsch — Essential German —
            Allemand fondamental
Ernst Klett Verlag Stuttgart, Klettbuch 5196

1. Auflage   1⁴ 3 2 | 1976 75

Alle Drucke dieser Auflage können im Unterricht nebeneinander
benutzt werden. Die letzte Zahl bezeichnet das Jahr dieses
Druckes.
© Ernst Klett Verlag 1973 für die vereinfachte und gekürzte
Lizenzausgabe. Mit Genehmigung des R. Piper & Co Verlages
© R. Piper & Co, Verlag München 1968
Umschlag: Edgar Dambacher, Korb.
Vignetten: Walter Rieck, Heilbronn.
Druck: Wilhelm Röck, 7102 Weinsberg, Schwabstraße 20.
Printed in Germany.
ISBN 3-12-559190-4

Ludwig Thoma (1867 — 1921)

In Oberbayern liegt das Dorf Oberammergau, das durch seine Passionsspiele weltbekannt ist. Hier wurde Ludwig Thoma geboren. Seine Kindheit verbrachte er in einem einsam gelegenen Forsthaus, wo sein Vater als Förster lebte.

Nach dem Besuch des Gymnasiums studierte er Jura und lebte dann einige Jahre als Advokat in München. 1896 wurde die berühmte satirische Zeitschrift „Simplizissimus" gegründet, die für politische und kulturelle Freiheit kämpft. Thoma trat in die Redaktion ein.

In den Jahren nach 1900 erschienen zahlreiche Romane und Theaterstücke, in denen er vor allem Menschen seiner bayerischen Heimat beschrieb. Einige Bücher sind auch im bayerischen Dialekt geschrieben.

Die „Lausbubengeschichten" erschienen 1904. Man kann in ihnen alles erkennen, wogegen Thoma in jedem seiner Werke kämpft: gegen bürgerliche Borniertheit, Dummheit, Falschheit, gegen steriles Beamtentum, diktatorischen Klerus, schlechte Kunst, politische und individuelle Unfreiheit.

1906 erhielt Thoma eine sechswöchige Gefängnisstrafe, weil er in einer Satire die Vertreter von Sittlichkeitsvereinen beleidigt hatte.

1908 bezog er sein neugebautes Haus in Rottach am Tegernsee. Heute gibt es dort ein Museum zu Ehren seines norwegischen Freundes Olaf Gulbransson, der außer vielen satirischen Zeichnungen für den „Simplizissimus" auch die Illustrationen zu den „Lausbubengeschichten" geschaffen hat.

Inhalt

Der vornehme Junge

Zum Nachbarbauern ist im Sommer eine Familie gekommen. Die war sehr *vornehm*, und sie ist aus *Preußen* gewesen.

Meine Mutter hat gesagt, es sind feine Leute, und du mußt sie immer grüßen, Ludwig.

---

der Lausbub – schlimmer Junge
vornehm – fein, aus guter Familie
Preußen – Gebiet in Norddeutschland

Am ersten Tag sind sie im Dorf herumgegangen. Er hat die Häuser *angeschaut* und ist stehengeblieben. Da habe ich gehört, wie er gesagt hat: „Ich möchte nur wissen, wovon diese Leute leben."

Bei uns sind sie am Abend vorbei, als wir gerade gegessen haben. Meine Mutter hat gegrüßt, und Ännchen auch. Da ist er hergekommen mit seiner Frau und hat gefragt: „Was essen Sie da?"

Knödel

Wir haben *Knödel* gegessen, und meine Mutter hat es ihm gesagt. Da hat er gefragt, ob wir immer Knödel essen, und seine Frau hat uns durch einen Zwicker angeschaut. Es war aber kein rechter Zwicker, sondern er war an einer kleinen Stange. Meine Mutter sagte zu mir: „Steh auf, Ludwig, und grüße die *Herrschaften*."

Da hat er mich gefragt, was ich bin, und ich habe gesagt, ich bin ein Lateinschüler. Und meine Mutter sagte: „Er war in der ersten Klasse und darf aufsteigen. Im Lateinischen hat er die Note zwei gekriegt."

Er hat seine Hand auf meinen Kopf gelegt und hat gesagt: „Ein kluger Junge; du kannst einmal zu uns kommen und mit meinem Arthur spielen. Er ist so alt wie du."

Dann hat er meine Mutter gefragt, wieviel Geld sie kriegt im Monat, und sie ist ganz rot geworden und hat gesagt, daß sie hundertzehn Mark kriegt.

Er hat zu seiner Frau hinübergeschaut und hat gesagt: „Emilie, nicht einmal vierzig *Taler*."

Und sie hat wieder ihren Zwicker vor die Augen gehalten.

---

anschauen — (süddt.) ansehen
die Herrschaften — (höflich) die Leute
der Taler — altes Geldstück im Wert von 3 Mark

Dann sind sie gegangen, und er hat gesagt, daß man es noch gehört hat: „Ich möchte bloß wissen, wovon diese Leute leben."

Am anderen Tag habe ich den Arthur gesehen. Er war aber nicht so groß wie ich und hat lange Haare gehabt bis auf die Schultern und ganz dünne Füße.

Es war noch ein Mann dabei mit einer Brille auf der Nase. Das war sein Privatlehrer.

Beim Essen hat meine Mutter gesagt: „Der Herr ist wieder dagewesen und hat gesagt, du sollst nachmittags seinen Sohn besuchen."

Ich sagte, daß ich lieber mit dem Lenz zum Fischen gehe, aber Anna hat mich gleich gefragt, ob ich nur mit Bauernjungen herumlaufen will, und meine Mutter hat gesagt: „Es ist gut für dich, wenn du mit feinen Leuten zusammen bist. Du kannst Manieren lernen."

Da habe ich gehen müssen, aber es hat mich nicht gefreut. Ich habe die Hände gewaschen und die schöne Jacke angezogen, und dann bin ich hingegangen. Sie waren gerade beim Kaffee. Der Herr war da und die Frau und ein Mädchen, das war so alt wie unsere Anna, aber schöner angezogen und viel dicker. Der Privatlehrer war auch da mit dem Arthur.

7

„Das ist unser junger Freund", sagte der Herr. „Arthur, gib ihm die Hand!" Und dann fragte er mich: „Nun, habt ihr heute wieder Knödel gegessen?"

Ich sagte, daß wir keine gegessen haben, und ich habe mich hingesetzt und einen Kaffee gekriegt. Es ist furchtbar langweilig gewesen. Der Arthur hat nichts geredet und hat mich immer angeschaut, und der Lehrer hat auch ganz still gesessen. Da hat ihn der Herr gefragt, ob Arthur seine Aufgaben schon fertig hat, und er sagte: „Ja, sie sind fertig; es sind noch einige Fehler darin, aber man merkt schon den Fortschritt."

Da sagte der Herr: „Das ist schön, und Sie können heute nachmittag allein spazierengehen, weil der junge Lateinschüler mit Arthur spielt."

Der Lehrer ist aufgestanden, und der Herr hat ihm eine Zigarre gegeben und hat gesagt, er soll achtgeben, weil sie so gut ist.

Als er fort war, hat der Herr gesagt: „Es ist doch ein Glück für diesen jungen Menschen, daß wir ihn mitgenommen haben. Er sieht auf diese Weise sehr viel Schönes."

Aber das dicke Mädchen sagte: „Ich finde ihn furchtbar; er macht Augen auf mich. Ich fürchte, daß er bald Gedichte macht wie der letzte."

Der Arthur und ich sind bald aufgestanden, und er hat gesagt, er will mir seine Spielsachen zeigen.

Er hat ein Dampfschiff gehabt. Wenn man das aufgedreht hat, sind die Räder herumgelaufen, und es ist schön geschwommen. Es waren auch viele *Bleisoldaten* und Matrosen darauf, und Arthur hat gesagt, es ist ein Kriegsschiff

---

der Bleisoldat — kleine Figur aus Metall

und heißt „Preußen". Ich habe gesagt, wir müssen zum Rafenauer hingehen, da ist ein kleiner See, und wir haben viel Spaß dabei.

Es hat ihn gleich gefreut, und ich habe das Dampfschiff getragen. Sein Papa hat gerufen: „Wo geht ihr denn hin, ihr Jungens?" Da habe ich ihm gesagt, daß wir das Schiff im See beim Rafenauer schwimmen lassen.

Die Frau sagte: „Du darfst es aber nicht tragen, Arthur. Es ist zu schwer für dich." Ich sagte, daß ich es trage, und sein Papa hat gelacht und hat gesagt: „Das ist ein starker Bayer; er ißt alle Tage Knödel. Hahaha!"

Der Arthur fragte mich: „Nicht wahr, du bist stark?"

Ich sagte, daß ich ihn leicht auf den Boden werfen kann, wenn er es probieren will. Aber er hatte keinen Mut und sagte, er wäre auch gerne so stark, daß er *sich* von seiner Schwester *nichts* mehr *gefallen lassen* muß. Ich fragte, ob sie ihn schlägt.

Er sagte nein, aber sie macht sich so wichtig, und wenn er eine schlechte Note kriegt, redet sie darein, als ob sie es was angeht. Ich sagte, das weiß ich schon; das tun alle Mädchen, aber man darf sich nichts gefallen lassen. Es ist ganz leicht, daß man es ihnen austreibt, wenn man ihnen richtig Angst macht.

Blindschleiche

Er fragte, was man da tut, und ich sagte, man muß ihnen eine *Blindschleiche* ins Bett legen. Wenn sie darauf liegen, ist es kalt, und sie schreien furchtbar. Dann versprechen sie einem, daß sie nicht mehr so klug sein wollen.

Arthur sagte, er wagt es nicht, weil er vielleicht Schläge kriegt. Ich sagte aber, wenn man sich vor den Schlägen fürchtet, hat man nie Spaß, und da hat er mir versprochen, daß er es tun will.

Ich habe mich furchtbar gefreut, weil mir das dicke Mädchen gar nicht gefallen hat, und ich dachte, sie wird ihre Augen noch viel stärker aufreißen, wenn sie eine Blindschleiche fühlt.

Er meinte, ob ich auch gewiß eine finde. Ich sagte, daß ich viele kriegen kann, weil ich ein *Nest* weiß. Und *es ist mir eingefallen*, ob es nicht vielleicht gut ist, wenn er dem Lehrer auch eine hineinlegt.

---

sich nichts gefallen lassen — sich nicht schlecht behandeln lassen
das Nest — Wohnplatz von Tieren
mir fällt ein — mir kommt die Idee

Das hat ihm gefallen, und er sagte, er will es gewiß tun, weil sich der Lehrer so fürchtet, daß er vielleicht weggeht.

Er fragte mich, ob ich einen Privatlehrer habe, und ich sagte, daß meine Mutter nicht so viel Geld hat, daß sie einen zahlen kann.

Da hat er geagt: „Das ist wahr. Sie kosten sehr viel, und man hat nur Schwierigkeiten mit ihnen. Der letzte, den wir gehabt haben, hat immer Gedichte auf meine Schwester gemacht, und er hat sie unter ihre Kaffeetasse gelegt; da haben wir ihn fortgejagt."

Ich fragte, warum er Gedichte gemacht hat, und warum er keine hat machen dürfen.

Da sagte er: „Du bist aber dumm. Er war doch verliebt in meine Schwester, und sie hat es gleich gemerkt, weil er sie immer so angeschaut hat. Deswegen haben wir ihn fortjagen müssen."

Ich dachte, wie dumm es ist, daß sich einer solche Mühe macht wegen dem dicken Mädchen, und ich möchte sie gewiß nicht anschauen und froh sein, wenn sie nicht dabei ist.

Dann sind wir an den See beim Rafenauer gekommen, und dann haben wir das Dampfschiff hineingetan. Die Räder sind gut gegangen, und es ist ein Stück weit geschwommen

Wir sind auch ins Wasser gegangen und der Arthur hat immer geschrien: „Hurra! Gebt's ihnen, Jungens! Auf zum Kampf! Drauf und dran, Jungens, gebt Feuer! Gut, Kinder!"

Er hat furchtbar geschrien, daß er ganz rot geworden ist, und ich habe gefragt, was das ist.

Er sagte, es ist eine Seeschlacht, und er ist ein preußischer Admiral.

Dann hat er wieder geschrien: „Vorwärts! Vorwärts! Feuer! Sieg! Sieg!"

Ich sagte: „Das gefällt mir gar nicht; es ist eine Dummheit, weil sich nichts rührt. Wenn es eine Schlacht ist, muß es *krachen*. Wir müssen *Pulver* hineintun, dann ist es lustig." Er sagte, daß er nicht mit Pulver spielen darf, weil es gefährlich ist. Ich habe ihn aber ausgelacht, weil er doch kein Admiral ist, wenn er nicht schießt.

Und ich habe gesagt, ich tue es, wenn er es nicht wagt; ich mache den Kapitän, er muß bloß kommandieren. Da ist er ganz lustig gewesen und hat gesagt, das möchte er. Ich muß aber streng gehorchen, weil er mein Chef ist, und Feuer geben, wenn er schreit.

Ich habe ein Paket Pulver bei mir gehabt. Das habe ich immer, weil ich so oft *Knallerbsen* mache. Und ein Stück Zündschnur habe ich auch dabei gehabt.

Wir haben das Dampfschiff hergezogen. Es waren Kanonen darauf, aber sie haben kein Loch gehabt. Da habe ich probiert, ob man vielleicht anders schießen kann. Ich meinte, man soll das Schiff aufmachen und das Pulver hineintun. Dann geht der Rauch bei den *Luken* heraus, und man glaubt, es sind Kanonen darin. Das habe ich getan. Ich habe aber das ganze Paket Pulver hineingetan, damit es stärker raucht. Dann habe ich das Verdeck wieder darauf getan und die Zündschnur durch ein Loch gesteckt. Arthur

---

krachen — sehr lautes Geräusch machen, z. B. bei Explosionen
das Pulver — Explosivstoff
die Knallerbse — kleine Kugel, die ein lautes Geräusch macht, wenn man sie auf den Boden wirft
die Luke — Öffnung im Schiffsdeck zum Hinuntersteigen

12

fragte, ob es recht *knallen* wird, und ich sagte, ich glaube schon, daß es ganz schön kracht. Da ist er schnell hinter einen Baum und hat gesagt, jetzt fängt die Schlacht an. Und er hat wieder geschrien: „Hurra! Gebt's ihnen, tapferer Kapitän!"

Ich habe das Dampfschiff aufgedreht und gehalten, bis die Zündschnur gebrannt hat.

Dann habe ich ihm einen Stoß gegeben, und die Räder sind gegangen, und die Zündschnur hat geraucht.

Es war lustig, und der Arthur hat sich auch furchtbar gefreut und hinter dem Baum immer kommandiert.

Er fragte, warum es nicht knallt. Ich sagte, es knallt schon, wenn die Zündschnur einmal bis zum Pulver hinbrennt. Da hat er hinter dem Baum vorgeschaut und hat geschrien: „Gebt Feuer!"

Auf einmal hat es einen furchtbaren Krach gegeben und hat *gezischt*, und ein dicker Rauch ist auf dem Wasser gewesen. Ich habe gemeint, es ist etwas an mir vorbeigeflogen, aber Arthur hat schon fürchterlich geweint, und er hat seinen Kopf gehalten.

---

knallen — Ein Schuß *knallt* mit viel Lärm.
zischen — Geräusch des Dampfes

Es war aber nicht schlimm. Er hat bloß ein bißchen geblutet am Kopf, weil ihn etwas getroffen hat. Ich glaube, es war ein Bleisoldat.

Ich habe ihn abgewischt, und er hat bloß gefragt, wo sein Dampfschiff ist. Es war aber nicht mehr da; bloß der vordere Teil war noch da und ist auf dem Wasser geschwommen. Das andere ist alles in die Luft geflogen. Er hat geweint, weil er geglaubt hat, daß sein Vater schimpft, wenn kein Schiff mehr da ist. Aber ich habe gesagt, wir sagen, daß die Räder so gelaufen sind, und es ist fortgeschwommen, oder er sagt gar nichts und geht erst heim, wenn es dunkel ist. Dann weiß es niemand, und wenn ihn jemand fragt, wo sein Schiff ist, sagt er, es ist im Zimmer, aber er mag nicht damit spielen. Und wenn eine Woche vorbei ist, sagt er, es ist auf einmal nicht mehr da. Vielleicht ist es gestohlen worden. Der Arthur sagte, er will es so machen, und warten, bis es dunkel wird.

Als wir das geredet haben, ist auf einmal der Rafenauer hergelaufen. Er hat geschrien: „Hab ich Euch, Ihr Lausbuben!"

Ich bin gleich davon, bis ich zu einer Hütte gekommen bin. Da habe ich mich schnell versteckt und zurückgeschaut. Der Arthur ist stehengeblieben, und der Rafenauer hat ihm *Ohrfeigen* gegeben. Er ist furchtbar grob.

Und er hat immer geschrien: „Die Lausbuben zünden noch mein Haus an. Und meine Äpfel stehlen's, und meine Birnen stehlen's und mein Haus sprengen's in die Luft!"

Und er hat ihm jedesmal eine Ohrfeige gegeben, daß es geknallt hat. Ich habe schon gewußt, daß er böse auf uns

---

die Ohrfeige – Schlag ins Gesicht

ist, weil ich und der Lenz ihm so oft seine Äpfel stehlen, und er kann uns nicht *erwischen*. Aber den Arthur hat er jetzt erwischt, und er hat alle Schläge gekriegt.

Als der Rafenauer fertig war, ist er fortgegangen. Aber dann ist er stehengeblieben und hat gesagt: „Du Herrgottsakrament!" und ist wieder umgekehrt und hat ihm nochmal eine hineingehauen. Der Arthur hat furchtbar geweint und hat immer geschrien: „Ich sage es meinem Papa!" Es wäre klüger gewesen, wenn er fortgelaufen wäre; der Rafenauer kann nicht nachkommen, weil er so schlecht Luft kriegt. Man muß immer um die Bäume herumlaufen, dann bleibt er gleich stehen und sagt: „Ich erwische Euch schon noch einmal." Ich und der Lenz wissen es, aber der Arthur hat es nicht gewußt. Er hat mir leid getan, wie er so geweint hat, und wie der Rafenauer fort war, bin ich hingelaufen und habe gesagt, er soll sich nichts daraus machen. Aber er hat nicht aufgehört und hat immer geschrien: „Du bist schuld; ich sage es meinem Papa."

Da habe ich *mich* aber *geärgert*, und ich habe ihm gesagt, daß ich nichts dafür kann, wenn er so dumm ist.

Da hat er gesagt, ich habe das Schiff kaputtgemacht, und ich habe so geknallt, daß der Bauer gekommen ist und er Schläge gekriegt hat.

Und er ist schnell fortgelaufen und hat geweint, daß man es weit gehört hat. Ich würde mich schämen, wenn ich so weinen würde wie ein Mädchen. Und er hat gesagt, er ist ein Admiral. Ich dachte, es ist gut, wenn ich nicht gleich heimgehe, sondern ein bißchen warte.

---

erwischen — fangen, ergreifen
sich ärgern — böse werden, unzufrieden sein

Als es dunkel war, bin ich heimgegangen, und ich bin beim Scheck ganz still vorbeigegangen, daß mich niemand bemerkt hat.

Der Herr war im Gartenhaus und die Frau und das dicke Mädchen. Der Scheck war auch dabei. Ich habe hineingeschaut, weil ein Licht gebrannt hat. Ich glaube, sie haben von mir geredet. Der Herr hat immer den Kopf geschüttelt und hat gesagt: „Wer hätte das gedacht! Ein solcher Lausejunge!" Und das dicke Mädchen hat gesagt: „Er will, daß mir Arthur Blindschleichen ins Bett legt. Hat man so was gehört?" Ich bin nicht mehr eingeladen worden, aber wenn mich der Herr sieht, hebt er immer seinen Stock und ruft: „Wenn ich dich einmal erwische!" Ich bin aber nicht so dumm wie sein Arthur, daß ich stehenbleibe.

Fragen

1. Woher kam die vornehme Familie?
2. Warum wollte die Mutter, daß Ludwig zu Arthur geht?
3. Wie war Arthur erzogen?
4. Weshalb wollte Arthur gern so stark sein wie Ludwig?
5. Was hat Ludwig ihm geraten?
6. Wodurch wollte Ludwig das Spiel mit dem Schiff interessanter machen?
7. Wie benahm sich Arthur bei dem gefährlichen Spiel?
8. Warum war der Bauer wütend?
9. Was machte Ludwig als der Bauer kam? Was tat Arthur?
10. Welchen der beiden Jungen würden Sie lieber als Sohn haben?

In den Ferien

Es waren große Ferien, und sie haben schon vier Wochen gedauert. Meine Mutter hat oft geklagt, daß wir so lange frei haben, weil alle Tage etwas passiert, und meine Schwester hat gesagt, daß ich die Familie in einen *schlechten Ruf* bringe.

Da ist einmal der Lehrer Wagner zu uns auf Besuch gekommen. Er kam öfter, weil meine Mutter soviel vom Obst versteht, und er kann sich mit ihr unterhalten. Er hat erzählt, daß seine *Pfirsiche* schön werden und daß es ihm Freude macht.

Pfirsiche

Und dann hat er auch gesagt, daß die Volksschule in zwei Tagen wieder anfängt und seine Ferien vorbei sind.

Meine Mutter hat gesagt, sie würde froh sein, wenn das Gymnasium auch schon anfängt, aber sie muß es noch drei Wochen aushalten. Der Lehrer sagte: „Ja, ja, es ist nicht gut, wenn die *Burschen* so lange frei haben. Sie machen nur Dummheiten."

Und dann ist er gegangen. Zufällig hatte ich an diesem Tage eine Forelle gestohlen, und der Fischer ist wütend zu uns gelaufen und hat geschrien, er zeigt es an, wenn er nicht drei Mark dafür kriegt.

Da bin ich furchtbar *geschimpft* worden, aber meine Schwester hat gesagt: „Was hilft es? Morgen fängt er etwas anderes an, und kein Mensch mag mehr mit uns zu tun haben. Gestern hat mich der Amtsrichter so kalt gegrüßt,

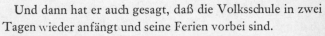

Er hat einen schlechten Ruf. — Man spricht schlecht über ihn.
der Bursche — Kerl, Junge
schimpfen — mit bösen Worten reagieren

als er vorbeigegangen ist. Sonst bleibt er immer stehen und fragt, wie es uns geht." Meine Mutter hat gesagt, daß etwas geschehen muß, sie weiß noch nicht, was.

Auf einmal ist ihnen eingefallen, ob ich vielleicht in den Ferien in die Volksschule gehen kann, der Herr Lehrer tut ihnen gewiß den Gefallen.

Ich habe gesagt, das geht nicht, weil ich schon in die zweite Klasse des Gymnasiums komme, und wenn es die anderen erfahren, ist es eine furchtbare *Schande*. Lieber will ich nichts mehr anfangen und sehr fleißig sein.

Meine liebe Mutter sagte zu meiner Schwester:

„Du hörst es, daß er jetzt anders werden will, und wenn es für ihn doch so unangenehm ist, wollen wir noch einmal warten."

Ich war froh, daß es so vorbeigegangen ist, und ich habe mich recht *zusammengenommen*.

Einen Tag ist es gut gegangen, aber am Mittwoch habe ich es nicht mehr ausgehalten.

Neben uns wohnt der Regierungsrat Bischof in der Sommerfrische. Seine Frau kann mich nicht leiden, und wenn ich bloß an den *Zaun* hinkomme, schreit sie zu ihrem Dienstmädchen: „Elis, geben Sie acht, der Lausbube ist da."

Zaun

Sie haben eine Katze; die darf immer dabeisitzen, wenn sie Kaffee trinken im Freien, und die Frau Regierungsrat fragt: „Mag Miezchen ein bißchen Milch? Mag Miezchen vielleicht auch ein bißchen Honig?"

Als wenn sie ja sagen könnte oder ein kleines Kind wäre.

Das ist eine Schande. — Das ist so unangenehm, daß man es nicht aushalten kann.

sich zusammennnehmen — sich Mühe geben

19

Am Mittwoch ist die Katze bei uns herüben gewesen, und unser Dienstmädchen hat sie gefüttert. Da habe ich sie genommen, als es niemand gesehen hat, und ich habe sie *eingesperrt* im Stall, wo ich früher zwei *Hasen* hatte.

 Hase

Dann habe ich aufgepaßt, wie sie Kaffee getrunken haben. Die Frau Regierungsrat war schon da und hat gerufen: „Miezi! Miezi! Elis, haben Sie Miezchen nicht gesehen?"

Aber das Dienstmädchen hat es nicht gewußt, und sie haben sich hingesetzt, und ich habe hinter dem Vorhang hinübergeschaut. Dann hat die Frau Geheimrat zu ihrem Mann gesagt: „Eugen, hast Du Miezchen nicht gesehen?"

Und er hat gesagt: „Vielleicht, ich weiß es nicht." Und dann hat er wieder in der Zeitung gelesen.

Aber die Frau Regierungsrat war ganz nachdenklich, und wie sie ein Butterbrot gemacht hat, hat sie gesagt: „Ich kann mir nicht denken, wo Miezchen bleibt."

Inzwischen bin ich schnell in den Stall und habe die Katze genommen.

Ich habe ihr an den Schwanz einen *Pulverfrosch* angebunden und bin hinten an den Zaun des Nachbarhauses gegangen und habe den Frosch angezündet. Dann habe ich die Katze freigelassen. Sie ist gleich durch den Zaun gekrochen und furchtbar gelaufen.

Das Mädchen hat geschrien: „Frau Regierungsrat, Mieze kommt schon."

Und dann habe ich die Stimme von ihr gehört, wie sie gesagt hat: „Wo ist nur mein Kätzchen? Da bist Du ja! Aber was hat das Tierchen am Schwanz?" Dann hat es furchtbar

---

einsperren — einschließen, so daß man nicht fort kann
der Pulverfrosch — kleiner Knallkörper

gekracht und gezischt, und sie haben geschrien und die Tassen auf den Boden fallen lassen, und als es still war, hat der Regierungsrat gesagt: „Das ist wieder dieser üble Lausbub gewesen."

Ich habe mich im Zimmer meiner Schwester versteckt; da kann man in unseren Garten hinunterschauen. Meine Mutter und Anna haben auch Kaffee getrunken, und meine liebe Mutter sagte gerade: „Siehst du, Ännchen, Ludwig ist nicht so schlimm; man muß ihn nur zu behandeln verstehen. Gestern hat er den ganzen Tag gelernt."

Jetzt ist auf einmal am Eingang von unserem Garten der Regierungsrat mit der Frau Regierungsrat gewesen, und meine Mutter sagte: „Ännchen, sitzt meine Mütze nicht schief? Ich glaube gar, die Herrschaften machen uns Besuch."

Und sie ist aufgestanden und ihnen entgegengegangen, und ich hörte, daß sie gesagt hat: „Nein, das ist lieb von Ihnen, daß Sie kommen." Aber der Regierungsrat hat ein

Gesicht gemacht, als wenn er zu einem *Begräbnis* geht, und sie ist ganz rot gewesen und hat den abgebrannten Frosch in der Hand gehabt und hat erzählt, daß die Katze jetzt *wahnsinnig* ist und drei Tassen kaputt sind. Und daß es kein anderer getan hat als ich. Da sind meiner Mutter die Tränen heruntergelaufen, und der Regierungsrat hat gesagt: „Weinen Sie nur, gute Frau! Weinen Sie über Ihren schlechten Sohn!"

Geldbeutel

Ich bin furchtbar *zornig* geworden, als ich gesehen habe, daß meine alte Mutter den kleinen, alten *Geldbeutel* herausgetan hat, und ihre Hände waren ganz zitterig, als sie das Geld aufgezählt hat.

Die Frau Regierungsrat hat es schnell genommen und dann sind sie gegangen, und er hat noch gesagt: „Der Himmel prüft Sie hart mit Ihrem Kinde."

Ich habe noch länger in den Garten hinuntergeschaut. Da hat meine Mutter am Tisch gesessen und hat sich die Tränen abgewischt, aber es sind immer neue gekommen, und bei Ännchen auch. Das Butterbrot ist auf dem Teller gewesen, aber sie haben es nicht mehr essen mögen. Ich bin ganz traurig geworden, und ich bin fort, daß sie mich nicht gesehen haben.

Dann bin ich heim zum Essen gegangen. Anna hat schon an der Tür gestanden und hat gesagt, daß ich allein essen muß in meinem Zimmer, und daß ich morgen in die Schule gehen muß. Der Herr Lehrer Wagner hat es angenommen und hat versprochen, daß er mit mir streng ist.

---

das Begräbnis — Ein Toter wird in die Erde gelegt.
wahnsinnig — psychisch krank
zornig — sehr böse, wütend

Ich habe schimpfen wollen, weil es doch eine Schande ist, wenn ein Lateinschüler mit den dummen Schulkindern zusammensitzt, aber ich habe gedacht, daß meine Mutter so geweint hat. Und da habe ich mir alles gefallen lassen.

Ich bin am anderen Tag in die Schule gegangen. Es war bloß ein Zimmer, und da waren alle Klassen darin, und auf der einen Seite waren die Jungen und auf der anderen die Mädchen. Als ich gekommen bin, hat mich der Lehrer in die erste Bank gesetzt. Dann hat er gesagt, daß sich die Kinder Mühe geben sollen, weil heute ein großer Gelehrter unter ihnen sitzt, der Lateinisch kann.

Das hat mich geärgert, weil die Kinder gelacht haben. Aber ich habe es mir nicht merken lassen. Einer hat ein Lesestück vorlesen müssen. Es hat geheißen „Der Abend" und hat so angefangen: „Die Sonne geht zur Ruhe, und am Himmel kommt der Abendstern. Die Vöglein schweigen.

Da geht der fleißige Bauersmann heim. Sein Hund *bellt* freudig, und die Kinder springen ihm entgegen." So ist es weitergegangen. Es war furchtbar dumm.

Der Lehrer sagte, die Kinder von der siebenten Klasse müssen es nun aus dem Kopf schreiben, und er lädt den Herrn Lateinschüler auch ein.

Dann sagte der Lehrer, daß er eine halbe Stunde in die Kirche muß, und daß die Furtner Marie aufpassen soll. Sie war auch von der siebenten Klasse und die Tochter eines Bauern, der nicht weit von uns ein Haus hat. Da bin ich noch wütender geworden, daß ich einem Mädel gehorchen soll.

Als der Lehrer draußen war, habe ich den Leitner, der neben mir gesessen hat, ganz ruhig gefragt, ob er heute nachmittag zum Fischen mitgehen will.

Da hat die Furtner Marie gerufen: „Ruhig! Wenn du noch einmal sprichst, wirst du aufgeschrieben."

„Entschuldigen Sie, Fräulein Lehrerin", habe ich gesagt, „ich will es nicht mehr tun."

Dann habe ich einen Schlüssel aus der Tasche gezogen und habe probiert, ob er noch pfeift.

Da ist die Furtner Marie zur Tafel und hat hingeschrieben: „Thoma hat gepfiffen."

Ich bin aufgestanden und habe gesagt: „Entschuldigen Sie, Fräulein Lehrerin, was muß ich denn machen, daß Sie mich nicht aufschreiben?"

Sie sagte, daß ich die Geschichte „Der Abend" schreiben muß.

Da habe ich schnell etwas geschrieben, und dann bin ich wieder aufgestanden und habe gesagt: „Entschuldigen Sie,

---

bellen — Menschen sprechen, Hunde *bellen*

Fräulein Lehrerin, darf ich es vorlesen, daß Sie mir sagen, ob es recht ist?"

Da ist die dumme *Gans* stolz gewesen, daß sie einem Lateinschüler etwas sagen muß, und sie hat gesagt:

Gans

„Ja, du darfst es vorlesen."

Da habe ich recht laut gelesen:

„Die Sonne geht zur Ruhe. Der Abendstern ist am Himmel. Vor dem Gasthause ist es still. Auf einmal geht die Tür auf, und der Hausdiener wirft einen Bauersmann hinaus. Er ist *betrunken*. Es ist der Furtner Marie ihr Vater."

Da haben alle Kinder gelacht, und die Furtner hat zu weinen angefangen. Sie ist wieder an die Tafel hin und hat geschrieben: „Thoma war *ungezogen*." Das hat sie dreimal unterstrichen. Ich bin aus meiner Bank gegangen und habe den Schwamm genommen und habe ihre Schrift ausgewischt.

Zopf

Und dann habe ich die Furtner Marie bei ihrem *Zopf* gepackt und habe sie geschüttelt, und zuletzt habe ich ihr eine Ohrfeige hineingeschlagen, damit sie weiß, daß man einen Lateinschüler nicht aufschreibt.

Jetzt ist der Lehrer gekommen, und er war zornig, als er alles erfahren hat. Er sagte, daß er nur wegen meiner Mutter mich nicht gleich hinauswirft, aber daß er mich zwei Stunden nach der Schule einsperrt. Das hat er auch getan. Als die Kinder fort waren, habe ich dableiben müssen, und der Lehrer hat die Tür mit dem Schlüssel zugesperrt. Es war schon elf Uhr, und ich habe furchtbaren Hunger gehabt, und ich habe auch gedacht, was für eine Schande es ist, daß ich in einer Volksschule eingesperrt bin.

---

betrunken – Zu viel Alkohol macht *betrunken*.
ungezogen – schlecht erzogen

Da habe ich geschaut, ob ich verschwinden kann und vielleicht beim Fenster hinunterspringen. Aber es war im ersten Stock und zu hoch, und es waren Steine unten. Da schaute ich auf der anderen Seite, wo der Garten war. Wenn man auf die Erde springt, tut es vielleicht nicht weh. Ich machte das Fenster auf und dachte, ob ich es probiere. Da habe ich auf einmal gesehen, daß an der Mauer die *Latten* für das *Spalier*obst sind, und ich habe gedacht, daß sie mich schon tragen.

Ich bin langsam hinausgestiegen und habe die Füße ganz vorsichtig auf die Latten gestellt. Sie haben mich gut getragen, und als ich gesehen habe, daß es nicht gefährlich ist, da ist mir eingefallen, daß ich die Pfirsiche mitnehmen kann. Ich habe alle Taschen vollgesteckt und den Hut auch. Dann bin ich erst heim und legte die Pfirsiche in meinen Schrank. Am Nachmittag ist ein Brief vom Herrn Lehrer gekommen, daß ich die Schule nicht mehr betreten darf.

Da war ich froh.

Fragen

1. Warum klagte die Mutter über die langen Ferien?
2. Wo sollte Ludwig den Rest der Ferien verbringen?
3. Was machte er mit der Katze?
4. Wie reagierten die Leute, als sie die Katze sahen?
5. Wie reagierte Ludwig, als er seine Mutter traurig sah?
6. Warum wollte er die Furtner Marie ärgern?
7. Was tat der Lehrer bei seiner Rückkehr?
8. Was für eine Frau ist Ludwigs Mutter?

---

die Latte – schmales Brett

Der Kindlein

Unser Religionslehrer heißt Falkenberg. Er ist klein und dick und hat eine goldene Brille auf.

Wenn er was Heiliges redet, schließt er die Augen und macht seinen Mund spitzig. Er faltet immer die Hände und ist recht sanft und sagt zu uns: „Ihr Kindlein."

Deswegen haben wir ihn den Kindlein genannt.

Er ist aber gar nicht so sanft. Wenn man ihn *ärgert*, macht er grüne Augen wie eine Katze und sperrt einen viel länger ein als unser Klassenlehrer.

Den Fritz hat er auch nicht leiden können, weil er mein bester Freund ist und immer lacht, wenn er „Kindlein" sagt. Er hat ihn schon zweimal deswegen eingesperrt, und da haben wir gesagt, wir müssen dem Kindlein *eins auswischen*.

Einmal ist er in die Klasse gekommen mit dem *Rektor* und hat gesagt: „Kindlein, freut euch! Ich habe eine herrliche Nachricht für euch. Ich habe lange gespart, und jetzt habe ich für unsere geliebte Studienkirche die Statue des heiligen Aloysius gekauft, weil er das *Vorbild* der studierenden Jugend ist. Er wird zu euch hinunterschauen, und ihr werdet zu ihm hinaufschauen. Das wird euch stärken."

Dann hat der Rektor gesagt, daß es unbeschreiblich schön ist von dem Falkenberg, daß er die Statue gekauft hat, und daß unser Gymnasium sich freuen muß. Am Samstag kommt der Heilige, und wir müssen ihn abholen, wo die Stadt anfängt, und am Sonntag ist eine Feier für ihn.

Da sind sie hinausgegangen und haben es in den anderen Klassenzimmern gesagt. Und ich und der Fritz sind miteinander heimgegangen.

Da hat der Fritz gesagt, daß der Kindlein es absichtlich getan hat, daß wir den Aloysius am Samstagnachmittag holen müssen, weil er nicht will, daß wir frei haben. Ich

---

jdn ärgern — jdn zum Narren halten, wütend machen
jdm eins auswischen — jdm etw Böses/Schlimmes absichtlich antun
der Rektor — der Schulleiter
das Vorbild — das Beispiel, nach dem man strebt

habe auch geschimpft und habe gesagt, ich möchte, daß der Wagen umfällt.

Der Hausherr von Fritz hat es schon gewußt, weil es in der Zeitung gestanden hat. Er kann uns gut leiden und redet oft mit uns und schenkt uns eine Zigarre.

Der Hausherr hat gelacht, daß soviel in der Zeitung gestanden hat von dem Heiligen. Er hat gesagt, daß er nur aus *Gips* ist und daß er ihn nicht geschenkt haben möchte. Er ist von Mühldorf. Da hat er schon lang gestanden, und niemand hat ihn mögen. Aber der Falkenberg tut, als wenn er viel gekostet hat. Das ist ein scheinheiliger Kerl, hat der Hausherr gesagt, und wir haben auch geschimpft über den Kindlein.

Dann ist der Samstag gekommen. Das ganze Gymnasium ist aufgestellt worden, und dann haben wir durch die Stadt gehen müssen. Vorne ist der Rektor mit dem Falkenberg gegangen, und dann sind die Professoren gekommen. Der Gruber war nicht dabei, weil er Protestant ist. Oben auf dem Berg ist ein Gasthaus, an der Straße von Mühldorf. Da haben wir gehalten und haben gewartet. Eine halbe Stunde haben wir stehen müssen.

Da ist ein Leiterwagen gekommen, da war ein großer Kasten darauf. Der Falkenberg ist hingegangen und hat den *Fuhrmann* gefragt, ob er von Mühldorf ist und den heiligen Aloysius dabei hat. Der Fuhrmann hat gesagt ja, und er hat einen in dem Kasten. Da hat sich der Kindlein geärgert, daß der Wagen so schlecht aussieht und keine *Tannenbäume* darauf sind.

Tannenbaum

---

der Gips — sehr billiges weißes Material
Der Fuhrmann transportiert Lasten mit Pferd und Wagen.

Aber der Fuhrmann hat gesagt, das geht ihn nichts an, er tut bloß, was ihm sein Herr sagt.

Da haben wir hinter dem Wagen hergehen müssen, und die Glocken der Studienkirche haben geläutet, bis wir dort waren.

Vor der Kirche hat der Fuhrmann gehalten, um den Kasten abzuladen.

Wir haben gehen dürfen, weil erst am folgenden Tag die Feier war. Wir haben aber gewußt, wo der Aloysius hingestellt wird. Bei dem dritten Fenster, weil dort das Postament war und Blumen herum. Der Fritz und ich sind heimgegangen; zuerst war der Friedmann Karl dabei. Da hat der Fritz gesagt, er muß noch viel lernen, weil er die dritte Konjugation noch nicht kann.

„Die brauchen wir ja gar nicht", hat der Friedmann gesagt.

„Freilich müssen wir sie lernen", hat der Fritz gesagt. Da ist dem Friedmann angst geworden, weil er immer furchtsam ist, und er ist der Erste.

Er ist gleich von uns weggelaufen, und der Fritz hat zu mir gesagt: „Jetzt haben wir unsere Ruhe vor ihm."

Ich fragte, warum er ihn fortgeschickt hat, aber der Fritz wartete, bis niemand in der Nähe war. Dann sagte er, daß er jetzt weiß, wie wir dem Kindlein eins auswischen, und daß wir auf den Aloysius einen Stein hineinwerfen.

Ich glaubte zuerst, er macht Spaß, aber es war ihm Ernst, und er sagte, daß er es allein tut, wenn ich nicht mithelfe.

Da habe ich versprochen, daß ich mittue, aber ich habe mich gefürchtet, denn wenn es herauskommt, ist alles aus.

Aber der Fritz hat gesagt, dann muß man es so machen, daß kein Mench etwas merkt, und so eine Gelegenheit kriegen wir nicht mehr, daß wir dem Kindlein eins auswischen, was er sich merkt. Wir haben abgemacht, daß wir uns um acht Uhr bei den zwei *Kastanien* am Fluß treffen.

Kastanie

Ich habe daheim gesagt, daß ich mit dem Fritz die dritte Konjugation lernen muß, und bin gleich nach dem Abendessen fort.

Es war schon dunkel, als ich an die Kastanien kam, und ich war froh, daß mir niemand begegnet ist.

Der Fritz war schon da, und wir haben noch gewartet, bis es ganz dunkel war. Dann sind wir neben dem Fluß gegangen.

Das Gymnasium und die Studienkirche sind am Ende der Stadt; es ist kein Mensch hinten, wenn es dunkel ist.

Jeder hat einen Stein genommen. Wir haben die Fenster noch gesehen. Das dritte war es. Der Fritz sagte zu mir: „Du mußt gut rechts werfen; und du mußt halb so hoch werfen, wie das Fenster ist; ich probier es höher, dann trifft ihn schon einer." „Es ist schon recht", sagte ich, und dann haben wir geworfen. Es hat stark *geklirrt*, und wir haben gewußt, daß wir das Fenster getroffen haben. Gleich hinter dem Gymnasium sind *Büsche;* da haben wir uns versteckt und haben *gehorcht*. Es ist ganz still gewesen, und der Fritz sagte: „Das ist fein gegangen. Jetzt müssen wir achtgeben, daß uns niemand gehen sieht."

Busch

Wir sind schnell gelaufen, aber wenn wir etwas gehört haben, sind wir stehengeblieben. Es ist uns niemand begegnet, und bei Fritz seinem Hausherrn sind wir hinten über

---

klirren — Brechendes Glas klirrt.
horchen — aufmerksam hören

den Gartenzaun gestiegen und ganz still die Treppe hinaufgegangen.

Der Fritz hat sein Licht brennen lassen, damit sie glaubten, er ist daheim. Wir setzten uns an den Tisch und haben uns abgetrocknet, weil wir so schwitzten.

Auf einmal ist jemand über die Treppe gegangen und hat geklopft. Ich bin zum Fenster hingelaufen, weil ich noch ganz naß war, aber der Fritz hat seinen Kopf in die Hand gelegt und hat getan, als wenn er lernt.

Es war das Dienstmädchen von Friedmanns, und es hat gesagt, einen schönen Gruß vom Friedmann Karl, und er glaubt nicht, daß wir die dritte Konjugation aufhaben, weil er zwei aus der Klasse gefragt hat, und keiner hat etwas gewußt.

Der Fritz hat seinen Kopf nicht aufheben mögen, weil er auch so geschwitzt hat. Er hat gesagt, daß er es deutlich gehört hat, und er lernt die dritte Konjugation.

Da ist das Dienstmädchen gegangen, und wir haben gehört, wie es unten gesagt hat, daß der Fritz fleißig lernt und daß es furchtbar ist, wieviel man in der Schule lernen muß.

Am andern Tag ist Sonntag gewesen, und um acht Uhr war die Feier für den Aloysius. Aber sie ist nicht gewesen. Als ich hingekommen bin, war alles schwarz vor der Türe, so viele Leute haben herumgestanden.

Um den *Pedell* ist ein großer Kreis gewesen, der Rektor hat daneben gestanden und der Falkenberg auch.

Sie haben geredet, und dann haben sie zu dem Fenster hinaufgezeigt. Da waren zwei Löcher darin.

---

der Pedell — Schuldiener, Schulhausmeister

Ich habe einen gefragt, was es gibt.

„Dem Aloysius hat man die Nase weg-
geschlagen", hat er gesagt.

„Haben sie ihn beim Aufstellen runter-
fallen lassen?" habe ich gefragt.

„Nein, es sind Steine hineingeflogen",
hat er gesagt.

Er sei dabei gewesen, als der Falkenberg gekommen ist. Als sie die Löcher
in dem Fenster gesehen haben, sind sie
hineingegangen, und da haben sie gesehen, daß vom Kopf des Aloysius die Nase
und der Mund weg waren, und unten ist
alles voll Gips gewesen, und dann hat
man zwei Steine gefunden.

Der Falkenberg hat gesagt, er will *beten*, daß der Verbre-
cher gefunden wird, aber heute ist keine Feier, weil man
den Aloysius wegschaffen muß, und wir müssen heimgehen
und auch beten. Da sind alle gegangen.

Später ist eine große Untersuchung gewesen, und in jeder
Klasse ist gefragt worden, ob einer etwas weiß.

Und der Kindlein hat gesagt, daß er seinen Schülern keinen Aloysius mehr schenkt, bevor man nicht weiß, wer es
getan hat.

Wir haben jetzt vor der Religionsstunde immer ein Gebet
sagen müssen zur Entdeckung eines furchtbaren Verbre-
chens.

Es hat aber nichts geholfen, und niemand weiß etwas,
bloß ich und der Fritz wissen es.

---

beten – Gott bitten, ein Gebet sprechen

Fragen

1. Warum mochten Ludwig und Fritz ihren Religionslehrer nicht?
2. Welche Gelegenheit fanden sie, um ihn zu ärgern?
3. Welche Bedeutung sollte die Statue für die Schüler haben?
4. Wie verbrachten Ludwig und Fritz den Samstagnachmittag?
5. Was machte Fritz, um den Friedmann loszuwerden?
6. Was taten Ludwig und Fritz im Dunkeln bei der Studienkirche?
7. Warum hatte Fritz das Licht in seinem Zimmer brennen lassen?
8. Was war mit der Statue passiert?
9. Wie reagierte der Lehrer?
10. Wie beurteilen Sie das Tun des Lehrers und der Jungen?

Besserung

Als ich in den Osterferien nach Hause gefahren bin, hat die Tante Fanny gesagt: „Vielleicht kommen wir zum Besuch zu deiner Mutter. Sie hat uns so dringend eingeladen, daß wir sie nicht *beleidigen* dürfen."

Und Onkel Pepi sagte, er weiß es nicht, ob es geht, weil er soviel Arbeit hat, aber es ist ihm klar, daß er den Besuch nicht mehr hinausschieben darf. Ich fragte ihn, ob er nicht lieber im Sommer kommen will, jetzt ist es noch so kalt, und man weiß nicht, ob es nicht auf einmal schneit. Aber die Tante sagte: „Nein, deine Mutter muß böse werden, wir haben es schon so oft versprochen." Ich weiß aber schon, warum sie kommen wollen: weil wir Ostern das gute Fleisch haben und Eier und Kaffee und Kuchen, und Onkel Pepi ißt so furchtbar viel. Daheim darf er nicht so, weil Tante Fanny gleich sagt, ob er nicht an sein Kind denkt.

Sie haben mich an den Postomnibus begleitet, und Onkel Pepi hat freundlich getan und hat gesagt, es ist auch gut für mich, wenn er kommt, damit er die Familie trösten kann über mein *Zeugnis*.

Es ist wahr, daß es furchtbar schlecht gewesen ist, aber ich finde schon eine *Ausrede*. Dazu brauche ich ihn nicht. Ich habe mich geärgert, daß sie mich begleitet haben, weil ich mir Zigarren kaufen wollte für die Heimreise, und jetzt konnte ich nicht. Der Fritz war im Omnibus und hat zu mir gesagt, daß er genug hat, und wenn es nicht reicht, können wir im Bahnhof in Mühldorf noch Zigarren kaufen.

---

beleidigen – jdn durch schlechte Behandlung böse/traurig machen
das Zeugnis – Am Ende des Schuljahres bekommt man ein *Zeugnis*.
die Ausrede – erfundene Entschuldigung

Im Omnibus haben wir nicht rauchen dürfen, weil der Oberamtsrichter Zirngiebl mit seinem Heinrich drin war, und wir haben gewußt, daß er ein Freund vom Rektor ist und ihm alles weitersagt. Der Heinrich hat ihm gleich leise ins Ohr gesagt, wer wir sind. Ich habe gehört, wie er bei meinem Namen gesagt hat: „Er ist der Letzte in unserer Klasse und hat in der Religion auch einen Vierer."

Da hat mich der Oberamtsrichter angeschaut, als wenn ich aus einem Zoo bin, und auf einmal hat er zu mir und zum Fritz gesagt: „Nun, ihr Jungens, gebt mir einmal eure Zeugnisse, daß ich sie mit Heinrich seinem vergleichen kann."

Ich sagte, daß ich es im Koffer habe, und er liegt auf dem Dache vom Omnibus. Da hat er gelacht und hat gesagt, er kennt das schon. Ein gutes Zeugnis hat man immer in der Tasche. Alle Leute im Omnibus haben gelacht, und ich und der Fritz haben uns furchtbar geärgert, bis wir in Mühldorf ausgestiegen sind. Wir haben im Bahnhof Bier getrunken, da sind wir wieder lustig geworden und sind in die Eisenbahn eingestiegen.

Wir haben vom Schaffner ein Raucherabteil verlangt und sind in eines gekommen, wo schon Leute darin waren. Ein dicker Mann hat am Fenster gesessen, und auf der anderen Bank hat ein kleiner Mann gesessen mit einer Brille, und er hat immer zu dem Dicken gesagt, Herr *Bürgermeister*, und der Dicke hat zu ihm gesagt, Herr Lehrer.

Als der Zug fuhr, hat der Fritz eine Zigarre angezündet und den Rauch gegen die Decke *geblasen*, und ich habe es auch so gemacht.

Der Bürgermeister hat die Leitung einer Stadt.
blasen — Luft oder Rauch fest aus dem Mund stoßen

Eine Frau ist neben mir gewesen, die hat sich ein Stück weggesetzt und hat mich angeschaut, und in dem anderen Abteil sind die Leute aufgestanden und haben herübergeschaut. Wir haben uns furchtbar gefreut, daß sie alle so erstaunt sind, und der Fritz hat recht laut gesagt, er muß sich von dieser Zigarre fünf Schachteln bestellen, weil sie so gut ist.

Da sagte der dicke Mann: „Bravo, so wächst die Jugend auf", und der Lehrer sagte: „Es ist kein Wunder, was man lesen muß, wenn man die verdorbene Jugend sieht."

Wir haben getan, als wenn es uns nichts angeht, und die Frau ist immer weiter weg, weil ich soviel *ausgespuckt* habe.

---

ausspucken — Mundflüssigkeit von sich geben

Der Lehrer hat so giftig geschaut, daß wir uns haben ärgern müssen, und der Fritz sagte, ob ich weiß, woher es kommt, daß die Schüler in der ersten Lateinklasse so schlechte Fortschritte machen, und er glaubt, daß die Volksschulen immer schlechter werden. Da hat der Lehrer furchtbar gehustet, und der Dicke hat gesagt, ob es heute kein Mittel mehr gibt für ungezogene Lausbuben. Der Lehrer sagte, man darf es nicht mehr anwenden, wegen der falschen Humanität, und weil man bestraft wird, wenn man einen bloß ein bißchen auf den Kopf schlägt.

Alle Leute im Wagen haben *gebrummt:* „Das ist wahr", und die Frau neben mir hat gesagt, daß die Eltern dankbar sein müssen, wenn man solche Burschen bestraft. Und da haben wieder alle gebrummt, und ein großer Mann im anderen Abteil ist aufgestanden und hat mit einem tiefen Baß gesagt: „Leider, leider gibt es keine vernünftigen Eltern mehr."

Der Fritz hat sich gar nichts daraus gemacht und hat mich mit dem Fuß gestoßen, daß ich auch lustig sein soll. Er hat einen blauen Zwicker aus der Tasche genommen und hat ihn aufgesetzt und hat alle Leute angeschaut und hat den Rauch durch die Nase gehen lassen.

Bei der nächsten Station haben wir uns Bier gekauft, und wir haben es schnell ausgetrunken. Dann haben wir die Gläser zum Fenster hinausgeworfen, ob wir vielleicht einen Eisenbahner treffen.

Da schrie der große Mann: „Diese Burschen muß man bestrafen", und der Lehrer schrie: „Ruhe, sonst bekommt ihr ein paar Ohrfeigen!" Der Fritz sagte: „Sie können's ja probieren, wenn Sie Mut haben." Der Lehrer hat es nicht

---

brummen – mit drohender Stimme sprechen

gewagt, und er hat gesagt: „Man darf keinen mehr auf den Kopf schlagen, sonst wird man selbst bestraft."

Und der große Mann sagte: „Lassen Sie, ich werde diese Burschen schon kriegen." Er hat das Fenster aufgemacht und hat *gebrüllt:* „Schaffner, Schaffner!"

Der Zug hat gerade gehalten, und der Schaffner ist gelaufen, als wenn es brennt. Er fragte, was es gibt, und der große Mann sagte: „Die Burschen haben Biergläser zum Fenster hinausgeworfen. Sie müssen verhaftet werden."

Aber der Schaffner war zornig, weil er gemeint hat, es ist ein Unglück geschehen, und es war gar nichts.

Er sagte zu dem Mann: „Deswegen brauchen Sie doch keinen solchen Lärm zu machen." Und zu uns hat er gesagt: „Sie dürfen es nicht tun, meine Herren." Das hat mich gefreut, und ich sagte: „Entschuldigen Sie, Herr Oberschaffner, wir haben nicht gewußt, wo wir die Gläser hinstellen müssen, aber wir werfen jetzt kein Glas mehr hinaus." Der Fritz fragte ihn, ob er eine Zigarre will, aber er sagte, nein, weil er keine so starken raucht. Dann ist er wieder gegangen, und der große Mann hat sich hingesetzt und hat gesagt, er glaubt, der Schaffner ist ein Preuße. Alle Leute haben wieder gebrummt, und der Lehrer sagte immer: „Herr Bürgermeister, ich muß mich furchtbar zurückhalten, aber man darf keinen mehr auf den Kopf schlagen."

Wir sind weiter gefahren, und bei der nächsten Station haben wir uns wieder ein Bier gekauft. Als ich es ausgetrunken habe, ist mir ganz schlecht geworden, und es hat sich alles zu drehen angefangen. Ich habe den Kopf zum Fenster hinausgehalten, ob es mir nicht besser wird. Aber

---

brüllen – laut schreien

es ist mir nicht besser geworden, und ich habe mich stark zusammengenommen, weil ich glaubte, die Leute meinen sonst, ich kann das Rauchen nicht vertragen. Es hat nichts mehr geholfen, und da habe ich schnell meinen Hut genommen.

Die Frau ist aufgesprungen und hat geschrien, und alle Leute sind aufgestanden, und der Lehrer sagte: „Da haben wir es!" Und der große Mann sagte im anderen Abteil: „Das sind die Burschen, aus denen man die Anarchisten macht."

Mir ist alles gleich gewesen, weil mir so schlecht war. Ich dachte, wenn ich wieder gesund werde, will ich nie mehr Zigarren rauchen und immer gehorchen und meiner lieben Mutter keine Sorgen mehr machen. Ich dachte, wieviel schöner würde es sein, wenn es mir jetzt nicht schlecht wäre, und ich hätte ein gutes Zeugnis in der Tasche, als daß ich jetzt den Hut in der Hand habe, wo ich hinein*gebrochen* habe.

Fritz sagte, er glaubt, daß es mir von einer Wurst schlecht geworden ist. Er wollte mir helfen, damit die Leute glauben, ich bin ein Gewohnheitsraucher. Aber es war mir nicht recht, daß er gelogen hat. Ich war auf einmal ein *braver* Sohn und haßte die Lüge.

Ich versprach dem lieben Gott, daß ich keine *Sünde* mehr tun wollte, wenn er mich wieder gesund werden läßt. Die Frau neben mir hat nicht gewußt, daß ich mich bessern will, und sie hat immer geschrien, wie lange sie den üblen Geruch noch aushalten muß. Da hat der Fritz den Hut aus

---

brechen, sich erbrechen — den Inhalt des Magens herausstoßen
brav — Lausbuben sind schlimm, sie sind nicht *brav*.
die Sünde — schlechte Tat

meiner Hand genommen und hat ihn zum Fenster hinausgehalten und hat ihn ausgeleert. Es ist aber viel auf das
Trittbrett gefallen, und als der Zug in der Station gehalten
hat, ist der Bahnhofs*vorsteher* hergelaufen und hat geschrien: „Wer ist das Schwein gewesen? Herrgottsakrament,
Schaffner, was ist das für ein Schweinestall?" Alle Leute
sind an die Fenster gerannt und haben hinausgeschaut, wo
das schmutzige Trittbrett gewesen ist. Und der Schaffner
ist gekommen und hat es angeschaut und hat gebrüllt: „Wer
war das Schwein?"

Der große Herr sagte zu ihm: „Es ist der gleiche, der
mit den Bierflaschen wirft, und Sie haben es ihm erlaubt."

---

der Vorsteher – Chef

„Was ist das mit den Bierflaschen?" fragte der Bahnhofsvorsteher.

„Sie sind ein gemeiner Mensch", sagte der Schaffner, „wenn Sie sagen, daß ich es erlaubt habe, daß er mit Bierflaschen wirft."

„Was bin ich?" fragte der große Herr.

„Sie sind ein gemeiner Lügner", sagte der Schaffner, „ich habe es nicht erlaubt."

„Schimpfen Sie nicht so", sagte der Bahnhofsvorsteher, „wir müssen es mit Ruhe abmachen."

Alle Leute im Wagen haben durcheinandergeschrien, daß wir solche Lausbuben sind, und daß man uns verhaften muß. Am lautesten hat der Lehrer gebrüllt und er hat immer gesagt, er ist selbst ein Schulmann. Ich habe nichts sagen können, weil mir so schlecht war, aber der Fritz hat für mich geredet, und er hat den Bahnhofsvorsteher gefragt, ob man verhaftet werden muß, wenn man auf einem Bahnhof eine giftige Wurst kriegt.

Zuletzt hat der Bahnhofsvorsteher gesagt, daß ich nicht verhaftet werde, aber daß das Trittbrett gereinigt wird, und ich muß es bezahlen. Es kostet eine Mark. Dann ist der Zug wieder gefahren, und ich habe immer den Kopf zum Fenster hinausgehalten, damit es mir besser wird.

In Endorf ist der Fritz ausgestiegen, und dann ist meine Station gekommen. Meine Mutter und Ännchen waren auf dem Bahnhof und haben mich erwartet. Es ist mir noch immer schlecht gewesen, und ich habe so Kopfweh gehabt.

Da war ich froh, daß es schon Nacht war, weil man nicht gesehen hat, wie ich *blaß* bin. Meine Mutter hat mir einen

---

blaß – weiß, ohne Farbe

Kuß gegeben und hat gleich gefragt: „Nach was riechst du, Ludwig?" Und Ännchen fragte: „Wo hast du deinen Hut, Ludwig?" Da habe ich gedacht, wie traurig sie sein würden, wenn ich ihnen die Wahrheit sage, und ich habe gesagt, daß ich in Mühldorf eine giftige Wurst gegessen habe, und daß ich froh bin, wenn ich einen Kamillentee kriege.

Wir sind heimgegangen, und die Lampe hat im Wohnzimmer gebrannt, und der Tisch war gedeckt. Unsere alte Köchin Theres ist hergelaufen, und wie sie mich gesehen hat, da hat sie gerufen: „Jesus Maria, wie sieht unser Junge aus! Das kommt davon, weil Sie ihn so viel studieren lassen, Frau *Oberförster*."

Meine Mutter sagte, daß ich etwas Unrechtes gegessen habe, und sie soll mir schnell einen Tee machen. Da ist die Theres schnell in die Küche gelaufen, und ich habe mich auf das Sofa gesetzt. Unser Hund ist immer an mir hinaufgesprungen und hat mich *ablecken* wollen.

Und alle haben sich gefreut, daß ich da bin. Es ist mir ganz weich geworden, und wie mich meine liebe Mutter gefragt hat, ob ich brav gewesen bin, habe ich gesagt, ja, aber ich will noch viel braver werden.

Ich sagte, als ich die giftige Wurst gegessen hatte, ist mir eingefallen, daß ich vielleicht sterben muß und daß die Leute meinen, es ist nicht schade darum.

Da habe ich *mir vorgenommen*, daß ich jetzt anders werde und alles tue, was meiner Mutter Freude macht und viel

---

der Förster — Beamter, der für den Wald und seine Tiere sorgt
ablecken — mit der Zunge über etwas streichen
sich etwas vornehmen — den Entschluß fassen, etw zu tun

lerne und nie eine Strafe mehr heimbringe, damit sie alle auf mich stolz sind.

Ännchen schaute mich an und sagte: „Du hast gewiß ein furchtbar schlechtes Zeugnis heimgebracht, Ludwig?" Aber meine Mutter sagte: „Du sollst nicht so reden, Ännchen, wenn er doch krank war und sich vorgenommen hat, ein neues Leben zu beginnen. Er wird es schon halten und mir viel Freude machen." Da habe ich weinen müssen, und die alte Theres hat es auch gehört, daß ich vor meinem Tod solche Entschlüsse gefaßt habe. Sie hat furchtbar laut geweint, und hat geschrien: „Es kommt von dem vielen Studieren, und sie machen unsern Jungen noch kaputt." Meine Mutter hat sie getröstet, weil sie gar nicht mehr aufgehört hat.

Da bin ich ins Bett gegangen, und es war so schön, wie ich darin gelegen habe. Meine Mutter hat noch bei der Türe hereingeleuchtet und hat gesagt: „Erhole dich recht gut, Kind." Ich bin noch lange wachgewesen und habe gedacht, wie ich jetzt brav sein werde.

Fragen

1. Warum wollten Onkel und Tante zu Besuch kommen?
   Welcher ist der wahre Grund, welcher der vorgegebene?
2. Worüber ärgerten sich Ludwig und Fritz im Bus?
3. Wer war außer den beiden im Abteil?
4. Was gefiel den Leuten nicht am Benehmen der Jungen?
5. Was hat Ludwig mit seinem Hut gemacht?
   Warum mußte er eine Mark bezahlen?
6. Welchen Entschluß faßte Ludwig?
7. Womit hat er zu Hause sein Kranksein erklärt?
8. Wie benahm sich die Mutter, als er nach Hause kam,
   und wie die Schwester?
9. Glauben Sie, daß aus Jungen wie Fritz und Ludwig
   Anarchisten werden können?

Onkel Franz

Da bekam meine Mutter einen Brief von Onkel Franz, der früher Major gewesen war. Und sie sagte, daß sie recht froh ist, weil der Onkel schrieb, er will einen ordentlichen Menschen aus mir machen, und es kostet achtzig Mark im Monat. Dann mußte ich in die Stadt, wo der Onkel wohnte.

Das war sehr traurig. Es war im vierten Stock, und es waren nur hohe Häuser herum und kein Garten. Ich durfte nie spielen, und es war überhaupt niemand da. Bloß der Onkel Franz und die Tante Anna, die den ganzen Tag herumgingen und achtgaben, daß nichts passierte. Aber der Onkel war so streng zu mir und sagte immer, wenn er mich sah: „Warte nur, du Lausbub, ich erwische dich schon noch."

Wenn ich von der Schule heimkam, mußte ich mich gleich wieder hinsetzen und die Aufgaben machen. Der Onkel schaute mir immer zu und sagte: „Machst du es wieder recht dumm? Wart nur, du Lausbub, ich krieg dich noch."

Einmal mußte ich eine Arithmetikaufgabe machen. Die konnte ich aber nicht lösen, und da fragte ich den Onkel, weil er zu meiner Mutter gesagt hatte, daß er mir nachhelfen will. Und die Tante hat auch gesagt, daß der Onkel so klug ist und daß ich viel lernen kann bei ihm.

Deswegen habe ich ihn gebeten, daß er mir hilft, und er hat sie dann gelesen und gesagt: „Kannst du schon wieder nichts, du nichtsnutziger Lausbub? Das ist doch ganz leicht." Und dann hat er sich hingesetzt und hat es probiert. Es ging aber gar nicht schnell. Er rechnete den ganzen Nachmittag, und als ich ihn fragte, ob er es noch nicht fertig hat, schimpfte er mich fürchterlich und war sehr grob. Erst vor dem Essen brachte er mir die Rechnung und sagte: „Jetzt kannst du es abschreiben; es war doch ganz leicht, aber ich habe noch etwas anderes tun müssen, du Dummkopf."

Ich habe es abgeschrieben und dem Professor gegeben. Am Donnerstag bekam ich die Aufgabe zurück, und ich *Esel* meinte, daß ich einen Einser kriege. Es war aber wieder ein Vierer, und das ganze Blatt war rot, und der Professor sagte: „So eine Rechnung kann bloß ein *Esel* machen."

„Das war mein Onkel", sagte ich, „der hat es gemacht, und ich habe es bloß abgeschrieben."

Die ganze Klasse hat gelacht, und der Professor wurde aber rot.

„Du bist ein gemeiner Lügner", sagte er, „und du wirst noch im Gefängnis enden." Dann sperrte er mich zwei Stunden ein. Der Onkel wartete schon auf mich, weil er mich schlug, wenn ich eingesperrt war. Ich schrie aber gleich, daß er schuld ist, weil er die Rechnung so falsch gemacht hat, und daß der Professor gesagt hat, so was kann bloß ein Esel machen.

Da schlug er mich noch mehr als sonst, und dann ging er fort. Heinrich, mein Freund, hat ihn gesehen, wie er auf der Straße mit dem Professor gegangen ist und wie sie immer stehenblieben und der Onkel recht lebhaft geredet hat.

Am nächsten Tag sagte der Professor: „Ich habe deine Rechnung noch einmal durchgelesen; sie ist ganz richtig, aber nach einer alten Methode, die es nicht mehr gibt. Es schadet dir aber nichts, daß du eingesperrt warst, weil du es eigentlich immer verdienst, und weil du beim Abschreiben Fehler gemacht hast."

Das haben sie miteinander abgemacht, denn der Onkel sagte gleich, als ich heimkam: „Ich habe mit deinem Professor gesprochen. Die Rechnung war schon gut, aber du hast beim Abschreiben nicht aufgepaßt, du Lausbub."

Ich habe aber aufgepaßt, es war nur ganz falsch.

Aber meine Mutter schrieb mir, daß ihr der Onkel geschrieben hat, daß er mir nicht mehr nachhelfen kann, weil ich die einfachsten Rechnungen nicht abschreiben kann und weil er dadurch in eine dumme Lage kommt.

Das ist ein gemeiner Mensch.

Fragen

1. Warum schickte die Mutter Ludwig zum Onkel Franz?
2. Wie war Ludwigs Leben beim Onkel?
3. Wie wurde der Onkel mit der Arithmetikaufgabe fertig?
4. Wie beurteilte der Lehrer die Aufgabe?
5. Warum wartete der Onkel auf Ludwig?
6. Was machten der Onkel und der Professor miteinander ab?
7. Was für ein Mensch ist der Onkel?

Der Meineid

Werners Heinrich sagte, seine Mama hat ihm meine Gesellschaft verboten, weil ich so was Rohes in meinem Benehmen habe und weil ich doch bald davongejagt werde. Ich
sagte zu Werners Heinrich, daß mir seine Mama egal ist
und ich froh bin, wenn ich nicht hin muß, weil es in seinem
Zimmer so schlecht riecht. Dann sagte er, ich bin ein gemeiner Kerl, und ich gab ihm eine feste Ohrfeige und stieß
ihn an den Ofenschirm, daß er hinfiel. Und dann war ihm
ein Zahn gebrochen, und die gute Hose hatte ein großes
Loch über dem Knie.

Am Nachmittag kam der Pedell in unsere Klasse und
meldete, daß ich zum Herrn Rektor hinunter soll.

Ich ging hinaus und schnitt bei der Tür eine Grimasse,
daß alle lachen mußten. Es hat mich aber keiner *verpetzt*,
weil sie schon wußten, daß ich es ihnen zurückzahlen würde.
Werners Heinrich hat es nicht gesehen, weil er daheim
blieb, weil er den Zahn nicht mehr hatte. Sonst hätte er
mich sicher verpetzt.

Ich mußte gleich zum Herrn Rektor hinein, der mich mit
seinen grünen Augen sehr scharf ansah.

„Da bist du schon wieder, ungezogener Bursche", sagte
er, „wirst du uns nie von deiner Gegenwart befreien?"

Ich dachte mir, daß ich sehr froh sein würde, wenn ich
den unsympatischen Kerl nicht mehr sehen muß, aber er
hatte mich doch selber gerufen.

---

der Meineid – lügnerische Behauptung (vor Gericht)
verpetzen – jdn als Täter bezeichnen

„Was willst du eigentlich werden", fragte er, „du verrohtes Subjekt? Glaubst du, daß du jemals die humanistischen Studien beenden kannst?"

Ich sagte, daß ich das schon glaube. Da brüllte er mich aber an und schrie so laut, daß es der Pedell draußen hörte und es allen erzählte. Er sagte, daß ich eine Verbrechernatur habe und daß ich höchstens ein gewöhnlicher Handwerker werde und daß schon bei den alten Römern alle schlechten Menschen so angefangen haben wie ich.

„Der Herr Ministerialrat Werner war bei mir", sagte er, „und berichtete mir von dem schlimmen Zustand seines Sohnes", und dann gab er mir sechs Stunden *Karzer* wegen übler Roheit. Und meine Mutter bekam eine Rechnung vom Herrn Ministerialrat, daß sie achtzehn Mark bezahlen mußte für die Hose.

Sie weinte sehr stark, nicht wegen dem Geld, obwohl sie fast keines hatte, sondern weil ich immer wieder etwas anfange.

Die zerrissene Hose hat uns der Herr Ministerialrat nicht gegeben, obwohl er eine neue verlangte.

Am nächsten Sonntag nach dem Gottesdienst wurde ich im Büro des Rektors eingesperrt. Das war langweilig.

In dem Zimmer waren die zwei Söhne vom Herrn Rektor. Der eine mußte übersetzen und hatte viele dicke Bücher auf seinem Tisch, in denen er nachsehen mußte. Jedesmal, wenn sein Vater hereinkam, wendete er furchtbar schnell die Seiten um und fuhr mit dem Kopfe auf und ab.

„Was suchst du, mein Sohn?" fragte der Rektor. Er antwortete nicht gleich, weil er ein Stück Brot im Munde hatte.

---

der Karzer – Raum, in dem Schüler eingesperrt werden

Er schluckte es aber doch hinunter und sagte, daß er ein griechisches Wort sucht, das er nicht finden kann. Es war aber nicht wahr; er hatte gar nicht gesucht, weil er immer Brot aus der Tasche aß. Ich habe es ganz gut gesehen. Der Rektor *lobte* ihn aber doch und sagte, daß die Götter den Fleiß vor den Erfolg hinstellen, oder so was.

Staffelei

Dann ging er zum anderen Sohn, der an einer *Staffelei* stand und zeichnete. Das Bild war schon beinahe fertig. Es war eine Landschaft mit einem See und viele Schiffe darauf. Die Frau Rektor kam auch herein und sah es an, und der Rektor war sehr guter Laune. Er sagte, daß es bei dem Schlußfeste ausgestellt wird und daß alle Besucher sehen können, daß etwas für die schönen Künste getan wird.

Dann gingen sie, und die zwei Söhne gingen auch, weil es zum Essen Zeit war. Ich mußte allein bleiben und bekam nichts zu essen. Ich machte mir aber nichts daraus, weil ich eine Wurst bei mir hatte, und ich dachte mir, daß die zwei dünnen Rektorssöhne froh wären, wenn sie so viel kriegten.

Der Ältere stellte sein Bild an das Fenster im Nebenzimmer. Das sah ich genau. Ich wartete, bis alle draußen waren, und las dann einen Roman weiter, den ich *heimlich* dabei hatte.

Um vier Uhr wurde ich herausgelassen vom Pedell. Er sagte: „So, diesmal warst du aber feste drin." Ich sagte: „Das macht mir gar nichts." Es machte mir aber doch etwas, weil es so furchtbar langweilig war. Am Montagnachmittag kam der Rektor in die Klasse und hatte einen ganz roten Kopf.

---

loben – gut über jdn sprechen
heimlich – versteckt, ohne daß jmd es sieht

Er schrie gleich: „Wo ist der Thoma?" Ich stand auf. Dann ging es los. Er sagte, ich habe *ein Verbrechen begangen*, das in den Annalen der Schule eine Schande ist. Und ich kann meine Lage nur verbessern, wenn ich alles gestehe.

Dabei riß er den Mund auf, daß man seine häßlichen Zähne sah, und spuckte furchtbar und rollte seine Augen.

Ich sagte: „Ich weiß nichts; ich habe doch gar nichts getan."

Er nannte mich einen schlimmen Lügner, der die Strafe des Himmels auf sich zieht. Aber ich sagte: „Ich weiß doch gar nichts." Und dann fragte er alle in der Klasse, ob sie eine Erklärung gegen mich abgeben können, aber niemand wußte etwas.

Und dann sagte er es unserem Professor. Am Morgen sah man, daß im Zimmer neben dem Rektorat das Fenster eingeworfen war, und ein großer Stein lag am Boden, der war auch durch das Bild gegangen, welches der Sohn gemalt hatte, und es war kaputt und lag auch auf dem Boden.

Bart

Unser Professor wurde ganz blaß, und sein *Bart* und seine Haare standen in die Höhe. Er brüllte: „Gestehe es, hast du diese *schändliche* Tat begangen?" Ich sagte, ich weiß doch gar nichts, das wird mir schon zu viel, daß ich alles getan haben muß.

Der Rektor schrie wieder: „Wehe dir, dreimal wehe! Wenn ich dich entdecke! Es kommt doch an die Sonne."

Und dann ging er hinaus. Und nach einer Stunde kam der Pedell und holte mich auf das Rektorat. Da war schon unser Religionslehrer da und der Rektor. Das Bild lag auf

---

ein Verbrechen begehen – eine kriminelle Tat ausführen
schändlich – gemein, niedrig

Kerze

einem Stuhl und der Stein auch. Davor stand ein kleiner Tisch. Der war mit einem schwarzen Tuch bedeckt, und zwei brennende *Kerzen* waren da und ein Kruzifix.

Der Religionslehrer legte seine Hand auf meinen Kopf und tat recht sanft, obwohl er mich sonst gar nicht leiden konnte.

„Du armer Junge", sagte er, „nun sage die Wahrheit und gestehe mir alles. Es wird dir wohltun und dein Gewissen erleichtern."

„Und es wird deine Lage verbessern", sagte der Rektor.

„Ich war es doch gar nicht. Ich habe doch gar kein Fenster eingeworfen", sagte ich.

Der Religionslehrer sah jetzt sehr böse aus. Dann sagte er zum Rektor: „Wir werden jetzt sofort Klarheit haben. Das Mittel hilft bestimmt." Er führte mich zum Tisch, vor die Kerzen hin, und sagte furchtbar feierlich:

„Nun frage ich dich vor diesen brennenden Lichtern. Du kennst die schrecklichen Folgen des Meineides vom Religionsunterricht. Ich frage dich: Hast du den Stein hineingeworfen? Ja – oder nein?"

„Ich habe doch gar keinen Stein hineingeworfen", sagte ich.

„Antworte ja – oder nein, im Namen alles Heiligen!"

„Nein", sagte ich.

Der Religionslehrer schüttelte den Kopf und sagte: „Nun war er es doch nicht. Es schien nur so."

Dann schickte mich der Rektor fort.

Ich bin recht froh, daß ich gelogen habe und nicht eingestand, daß ich am Sonntagabend den Stein hineinwarf, wo ich wußte, daß das Bild war. Denn ich hätte meine Lage gar nicht verbessert und wäre davongejagt worden. Das sagte der Rektor bloß so. Aber ich bin nicht so dumm.

Fragen

1. Warum gab es zwischen Ludwig und Werners Heinrich Streit?
2. Welche Folgen hatte Ludwigs Angriff für ihn selbst?
3. Was meinte der Rektor über Ludwigs Zukunft?
4. Wo verbrachte Ludwig einen großen Teil des Sonntags?
5. Was taten die beiden Söhne des Rektors?
6. Was sollte Ludwig am Montag vor dem Rektor gestehen?
7. Wie versuchte der Religionslehrer, Ludwig zu einem Geständnis zu bewegen?
8. Warum zog Ludwig es vor zu lügen?
9. Halten Sie den Eid für ein Mittel, um die Wahrheit herauszufinden?

Die Verlobung

Unser Klassenlehrer Bindinger interessierte sich für meine Schwester Marie.

Ich merkte es bald, aber daheim taten alle so geheimnisvoll, damit ich nichts erfahre.

Sonst hat Marie immer mit mir geschimpft. Auf einmal wurde sie ganz sanft. Wenn ich in die Klasse ging, lief sie mir oft bis an die Treppe nach und sagte: „Magst du einen Apfel mitnehmen, Ludwig?" Und dann achtete sie darauf, daß ich einen weißen *Kragen* anhatte, und band mir die *Krawatte*, wenn ich es nicht recht gemacht hatte. Einmal kaufte sie mir eine neue, und sonst hat sie nie darauf geachtet. Ich merkte gleich, daß da etwas nicht stimmt, aber ich wußte nicht, warum sie es tat.

Kragen

Krawatte

Wenn ich heimkam, fragte sie mich oft: „Hat dich der Herr Professor etwas gefragt? Ist der Herr Professor freundlich zu dir?"

„Was geht denn dich das an?" sagte ich. „Tu nicht gar so wichtig, sondern laß mich in Ruhe!"

Ich meinte zuerst, das ist eine neue Mode von ihr, weil die Mädchen alle Augenblicke was anderes haben, damit sie recht klug aussehen. Hinterher habe ich erst alles verstanden.

Der Bindinger konnte mich nie leiden, und ich ihn auch nicht. Er war so schmutzig. Zum Frühstück hat er immer weiche Eier gegessen; das sah man, weil sein Bart voll Eigelb war. Er spuckte einen an, wenn er redete, und seine Augen waren so grün wie von einer Katze. Alle Professoren

---

die Verlobung – Wenn zwei Menschen sich die Ehe versprechen, feiern sie Verlobung.

sind dumm, aber er war noch dümmer. Die Haare ließ er sich auch nicht schneiden, und seine Fingernägel waren schwarz. Wenn er von den alten Deutschen redete, strich er seinen Bart und machte eine Baßstimme.

Ich glaube aber nicht, daß sie einen solchen Bauch hatten und so abgetretene Schuhe wie er.

Die andern schimpfte er, aber mich sperrte er ein, und er sagte immer: „Du wirst nie ein nützliches Glied der Gesellschaft, übler Bursche!"

Dann war ein Ball, wo meine Mutter auch hinging wegen der Marie. Sie kriegte ein rosa Kleid dazu und weinte furchtbar, weil die Näherin so spät fertig wurde. Ich war froh, als sie draußen waren.

Am andern Tag beim Essen redeten sie vom Balle, und Marie sagte zu mir: „Du, Ludwig, Herr Professor Bindinger war auch da. Das ist ein liebenswürdiger Mensch!"

Das ärgerte mich, und ich fragte sie, ob er viel gespuckt hat und ob er ihr rosa Kleid voll *Eierflecken* gemacht hat. Sie wurde ganz rot, und auf einmal sprang sie in die Höhe und lief hinaus, und man hörte durch die Tür, wie sie weinte.

Ich mußte glauben, daß sie verrückt ist, aber meine Mutter sagte sehr böse: „Du sollst nicht unanständig reden von deinen Lehrern; das mag Mariechen nicht."

„Ich möchte schon wissen, was es sie angeht, das ist doch dumm, daß sie deswegen weint."

„Mariechen ist ein gutes Kind", sagte meine Mutter, „und sie sieht, was ich leiden muß, wenn du nichts lernst und unanständig bist gegen deinen Professor. Er ist ein sehr braver und kluger Mann, der noch eine große Karriere hat. Und er war sehr nett zu Mariechen. Und er hat ihr auch gesagt, wieviel Sorgen du ihm machst. Und jetzt bist du ruhig!"

Ich sagte nichts mehr, aber ich dachte, was der Bindinger für ein Kerl ist, daß er mich bei meiner Schwester verpetzt.

Am Nachmittag hat er mich aufgerufen; ich hatte mich aber nicht vorbereitet und konnte nicht übersetzen.

„Warum bist du schon wieder unvorbereitet, Bursche?" fragte er.

Ich wußte zuerst keine Ausrede und sagte: „Entschuldigen Sie, Herr Professor, ich habe nicht gekonnt."

„Was hast du nicht gekonnt?"

„Ich habe mich nicht vorbereiten können, weil meine Schwester auf dem Ball war." „Was ist das wieder für eine dumme Entschuldigung", sagte er, aber ich hatte schon eine Ausrede gefunden, und ich sagte, daß ich so Kopfweh gehabt habe, weil die Näherin so lange nicht gekommen war und

---

der Eierfleck — schmutzige Stelle (von Eiern)

weil ich sie holen mußte und auf der Treppe hinfiel und mit dem Kopf aufschlug und furchtbare Schmerzen hatte.

Ich dachte mir, wenn er es nicht glaubt, ist es mir auch egal, weil er es nicht beweisen kann. Er schimpfte mich aber nicht und ließ mich gehen.

Einen Tag danach, als ich aus der Klasse kam, saß die Marie auf dem Sofa im Wohnzimmer und weinte furchtbar. Und meine Mutter hielt ihr den Kopf und sagte: „Das wird schon, Mariechen. Sei ruhig, Kindchen!"

„Was macht sie denn schon wieder für ein Geschrei?" fragte ich. Da wurde meine Mutter so zornig, wie ich sie noch nie gesehen habe.

„Da fragst du noch!" sagte sie. „Du kannst es nicht vor Gott *verantworten*, was du deiner Schwester tust, und nicht genug, daß du faul bist, schiebst du die Schuld auf das arme Mädchen und sagst, du wärst über die Treppe gefallen, weil du für sie zur Näherin mußtest. Was soll der gute Professor Bindinger von uns denken?"

„Er wird meinen, daß wir alle lügen, er wird glauben, ich bin auch so!" schrie Marie und drückte wieder ihr nasses Tuch auf die Augen. Ich ging gleich hinaus, weil ich schon wußte, daß sie es noch schlimmer treibt, wenn ich dabeiblieb, und ich kriegte das Essen auf mein Zimmer.

Das war an einem Freitag; und am Sonntag kam auf einmal meine Mutter zu mir herein und lachte so freundlich und sagte, ich soll in das Wohnzimmer kommen.

Da stand der Herr Professor Bindinger, und Marie hatte den Kopf an seiner Schulter, und er *schielte* furchtbar. Meine

---

etw verantworten — bereit sein, die Folgen seines Tuns zu tragen
Er schielt. — Seine Augen blicken nicht parallel.

Mutter führte mich bei der Hand und sagte: „Ludwig, unsere Marie wird jetzt deine Frau Professor", und dann nahm sie ihr Taschentuch heraus und weinte. Und Marie weinte. Der Bindinger ging zu mir und legte seine Hand auf meinen Kopf und sagte: „Wir wollen ein nützliches Glied der Gesellschaft aus ihm machen."

Fragen

1. Was fiel Ludwig eines Tages an seiner Schwester auf?
2. Welchen Eindruck hatte er von Bindinger?
3. Wie versuchte die Mutter, Ludwig die Situation zu erklären? Warum log sie?
4. Wie erklärte Ludwig dem Lehrer, daß er sich nicht vorbereitet hatte? Warum log er?
5. Warum gefiel diese Ausrede Ludwigs Mutter und Schwester gar nicht?
6. Welche Neuigkeit wurde Ludwig am nächsten Sonntag mitgeteilt?
7. Was meinte Bindinger, als er sagte, er wolle aus Ludwig „ein nützliches Glied der Gesellschaft" machen?

Die Hochzeit

Ich muß noch die *Hochzeit* meiner Schwester mit dem Professor Bindinger erzählen. Ich kriegte einen neuen Anzug und mußte schon in aller Früh aufstehen, damit ich rechtzeitig fertig war. Denn es war eine furchtbare Unruhe daheim, und es ging immer Tür auf und Tür zu, und wenn es klingelte, schrie meine Mutter: „Was ist denn, Kathi?" Und meine Schwester schrie: „Kathi! Kathi!", und die Kathi schrie: „Gleich! Gleich! Ich bin schon da", und dann machte sie auf, und wenn es ein Mann war, der eine Schachtel brachte oder einen Brief, dann schrien sie alle und warfen ihre Türen zu, denn sie waren noch nicht ganz angezogen.

---

die Hochzeit — Fest der Heirat

Dann kam ein Diener und sagte, der erste Wagen ist da, und es ging wieder los. Meine Mutter rief: „Bist du fertig, Ludwig?", und Marie schrie: „Aber so mach doch mal!" Und ich war froh, als ich unten war.

Im Wagen saß die Tante Frieda mit ihren zwei Töchtern, der Anna und Elis. Sie hatten weiße Kleider an und *Locken* gebrannt. *Locken*

Die Tante fragte gleich: „Ist Mariechen recht glücklich? Das kann man sich denken, so einen hübschen Mann, und hätte kein Mensch gedacht, wo er doch dein Professor war!"

Ich wußte schon, daß die alte Katze immer etwas gegen uns hat und, wo sie kann, meine Mutter kritisiert. Aber ich habe sie auch schon oft geärgert, und ich sagte jetzt zu der Anna, daß ihre *Sommersprossen* immer stärker werden. Dann waren wir aber in der Kirche und gingen in die Sakristei, und die Tante mußte still sein.

Jetzt kam ein Wagen, da war Onkel Franz drin mit Tante Gusti und ihrem Sohn Max, den ich nicht leiden kann. Onkel Franz ist der Reichste in der Familie; er hat eine Buchdruckerei und ist sehr *fromm*. Wenn man zu ihm geht, kriegt man ein Heiligenbild, aber nie Geld oder zu essen.

Die Tante Gusti ist noch frömmer und sagt immer zu meiner Mutter, daß wir zu wenig in die Kirche gehen, und daher kommt das ganze Unglück mit mir.

Am meisten hat es mich gefreut, daß der Onkel Hans kam mit Tante Anna. Er ist Förster, und ich war schon in den Ferien bei ihm. Er war lustig mit mir und hat immer gelacht, wenn ich die Tante Frieda imitierte, die alte Wild-

---

die Sommersprossen — braune Punkte im Gesicht
fromm sein — an Gott glauben

katze, sagte er. Heute hatte er einen Hemdkragen und griff alle Augenblicke an seinen Hals. Ich glaube, er war unsicher, weil so viele Fremde dastanden, und ging immer in die Ecke.

Blumenstrauß

Die Sakristei wurde immer voller. Mit den Herren kamen immer junge Mädchen, die ich nicht kannte. Alle hatten *Blumensträuße;* die hielten sie sich immer vor das Gesicht und lachten recht dumm, wenn es auch gar nichts zum Lachen gab.

Orden

Jetzt kam meine Mutter mit dem Onkel Pepi, der Zollbeamter ist, und gleich darauf der Bindinger und Marie und der *Brautführer.* Das war ein alter Offizier und ein entfernter Verwandter vom Bindinger. Er hatte eine Uniform an mit *Orden,* und Tante Frieda sagte zu Tante Gusti: „Na, Gott sei Dank, daß sie einen Offizier gefunden haben."

Die Tür der Sakristei wurde aufgemacht, und wir mußten in einem Zug in die Kirche. Der Bindinger und Marie knieten in der Mitte vor dem *Altar,* und der *Pfarrer* kam heraus und hielt eine Rede und fragte sie, ob sie verheiratet sein wollen. Marie sagte ganz leise ja, aber der Bindinger sagte es mit einem furchtbaren Baß. Dann wurde eine *Messe* gelesen, die dauerte so lange, daß es mir langweilig wurde und ich mich umblickte.

Ich schaute zum Onkel Hans hinüber, der von einem Bein auf das andere trat und in seinen Hut hinein sah und hustete und sich den Kopf rieb.

Der Brautführer führt das Mädchen, das heiraten wird, in die Kirche.
Vor dem *Altar* mit dem Kruzifix liest der *Pfarrer* die Heilige *Messe.*

Dann sah er, daß ich ihn anschaute, und er *blinzelte* mit den Augen und zeigte mit dem Daumen heimlich auf die Tante Frieda hinüber. Und dann zeigte er seine Zähne, so wie sie es immer macht. Ich konnte mich nicht mehr halten und mußte lachen. Der Bruder vom Bindinger klopfte mir auf die Schulter und sagte, ich solle mich anständiger benehmen, und Tante Gusti stieß Tante Frieda an, daß sie zu mir herübersah, und dann schauten alle zwei ganz unglücklich an die Decke und schüttelten ihre Köpfe.

Endlich war es aus, und wir gingen in die Sakristei. Da fing das Gratulieren an; die Herren drückten dem Bindinger die Hand, und die Tanten und die Mädchen küßten alle die Marie.

Dann *umarmten* sie auch meine Mutter und küßten sie, und Onkel Hans, der neben mir stand, hielt seinen Hut vor und sagte: „Gib acht, Ludwig, daß sie deine alte Mutter nicht beißen."

Ich mußte nun auch zum Bindinger hin und gratulieren. Er sagte: „Ich danke dir und hoffe, daß du dich von jetzt an wirklich bessern wirst." Marie sagte nichts, aber sie gab mir einen herzlichen Kuß, und meine Mutter strich mir über den Kopf und sagte unter Tränen: „Nicht wahr, Ludwig, das versprichst du mir, von heute ab wirst du ein anderer Mensch."

Ich hätte beinahe weinen müssen, aber ich tat es nicht, weil Tante Frieda nahe dabei war und ihre grünen Augen auf mich hielt.

---

blinzeln — mit den Augen winken
jdn umarmen — in die Arme schließen

Aber ich nahm mir fest vor, meiner lieben Mutter keine Sorgen mehr zu machen.

Lamm

Im Gasthaus zum *Lamm* war das Hochzeitsessen. Ich saß zwischen Max und der Anna von Tante Frieda. Zuerst gab es eine gute Suppe und dann einen großen Fisch. Dazu kriegten wir Weißwein, und ich sagte zu Max, er soll probieren, wer es schneller austrinken könnte. Er tat es, aber ich wurde früher fertig, und der Kellner kam und füllte unsere Gläser noch einmal.

Da klopfte Onkel Pepi an sein Glas und hielt eine Rede. Und er ließ den Bindinger und Marie *hochleben*. Ich schrie fest mit und probierte noch einmal mit Max, wer schneller fertig ist. Er verlor wieder und kriegte einen roten Kopf, als er ausgetrunken hatte. Dann gab es einen Braten mit Salat.

Auf einmal klopfte es wieder, und Onkel Franz stand auf. Er sagte, daß eine Eheschließung etwas Heiliges ist, und wenn die Kinder katholisch erzogen werden, ist es ein Verdienst der Eltern. Darum, sagte er, muß man an die Alten denken, besonders an die Frau, die das Mädchen so gut erzogen hat; und er ließ meine Mutter hochleben. Das freute mich furchtbar, und ich schrie recht laut und ging auch mit meinem Weinglas zu ihr hin. Sie war aufgestanden, und ihr gutes Gesicht war ganz rot, als sie mit allen *anstieß*. Sie sagte immer: „Das hätte mein Mann noch erleben müssen", und Onkel Hans stieß fest mit ihr an und sagte: „Ja, der müßte jetzt dasitzen!" Dann trank er sein Glas auf einmal

---

jdn hochleben lassen – jdm ein glückliches Leben wünschen
anstoßen – die Gläser aneinander stoßen

aus und schüttelte jedem die Hand, der an ihm vorbeikam, und sagte immer wieder: „Ja wirklich, der müßte dasitzen!"

Wir kriegten noch ein Brathuhn und Kuchen und Eis, und der Kellner ging mit Champagner herum. Ich sagte zum Max: „Da ist es viel härter, auf einmal auszutrinken, weil es so beißt." Er probierte es, und es ging auch, aber ich tat nicht mit, sondern ich setzte mich zum Onkel Hans hinüber.

Alle waren lustig, besonders die jungen Mädchen lachten recht laut und stießen immer wieder an. Aber Tante Frieda schaute herum und redete lebhaft mit Tante Gusti. Ich hörte, wie sie sagte, daß man zu ihrer Zeit nicht so frei gewesen ist.

Und Tante Gusti sagte, die Hochzeit kostet sicher sehr viel, aber die *Schwägerin* hat immer für ihre Kinder zuviel ausgegeben.

Da klopfte es wieder, und Onkel Franz stand auf und sagte, daß sein Sohn Max zu Ehren seines verehrten Lehrers, des glücklichen Bräutigams, ein Gedicht vorlesen wird.

---

die Schwägerin – die Frau des Bruders

Alles war still, und Max stand auf und probierte anzufangen. Aber er konnte nicht, weil er umfiel und käseweiß war.

Da gab es ein lautes Geschrei, und Tante Gusti schrie immer: „Was hat das Kind?" Die meisten lachten, weil sie sahen, woher es kam, und Tante Frieda half mit, daß sie den Max in das Nebenzimmer brachten.

Sie legten ihn auf das Sofa, und es wurde ihm schlecht, und Tante Frieda blieb lange aus, weil sie ihr Kleid putzen mußte. Als sie hereinkam, sagte sie zu mir, daß ihr Anna schon gesagt hat, daß ich schuld bin.

Marie weinte auf einmal furchtbar und fiel immer wieder der Mutter um den Hals. Und der Bindinger stand daneben und machte ein Gesicht wie bei einem Begräbnis. Die Mutter sagte zu Marie: „Nun bist du ja glücklich, Kindchen! Nun hast du ja einen braven Mann."

Und zum Bindinger sagte sie: „Du machst sie glücklich, nicht wahr? Das versprichst du mir?" Der Bindinger sagte:

„Ja, ich will es mit Gott versuchen."

Dann mußte Marie von den Tanten Abschied nehmen, und unsere Cousine Lottchen, die schon vierzig Jahre alt ist, aber keinen Mann hat, weinte am lautesten.

Endlich konnten sie gehen. Der Bindinger ging voran, und Marie trocknete sich die Tränen und winkte meiner Mutter unter der Tür noch einmal zu.

„Da geht sie", sagte meine Mutter ganz still für sich. Und Lottchen stand neben ihr und sagte: „Ja, wie ein Lamm zur *Schlachtbank*."

---

die Schlachtbank — Platz, wo Tiere getötet werden

Fragen

1. Wie bereitete man sich im Hause Thoma auf die Hochzeit vor?
2. Was für Leute waren Onkel Franz und Tante Gusti?
3. Warum mochte Ludwig Onkel Hans gern?
4. Woraus bestand das Hochzeitsessen?
5. Was meinte Tante Frieda über die Hochzeit?
6. Warum konnte Max das Gedicht nicht vorlesen? Wie war es dazu gekommen?
7. Warum mußte Tante Frieda ihr Kleid putzen?
8. Welches Gefühl bestimmte Lottchen: Mitleid oder Neid?
9. Unterscheidet sich diese Feier von einer Hochzeit in Ihrem Land? Wodurch?

Meine erste Liebe

An den Sonntagen durfte ich immer
zu Herrn von Rupp kommen und bei
ihm Mittag essen. Er war ein alter
Jagdfreund von meinem Papa und
hatte schon viele Hasen bei uns ge-
schossen. Es war sehr schön bei ihm.
Er behandelte mich beinahe wie einen
Herrn, und wenn das Essen vorbei war, gab er mir immer eine
Zigarre und sagte: „Die schadet dir
nicht. Dein Vater hat auch geraucht
wie eine Lokomotive." Da war ich
sehr stolz.

Die Frau von Rupp war eine
furchtbar noble Dame, und wenn sie
redete, machte sie einen spitzigen
Mund, damit es hochdeutsch wurde.
Sie *ermahnte* mich immer, daß ich
nicht Nägel beißen soll und eine gute
Aussprache habe. Dann war noch
eine Tochter da. Die war sehr schön
und roch so gut. Sie gab nicht acht
auf mich, weil ich erst vierzehn Jahre
alt war, und redete immer von Tanzen und Konzert und
einem herrlichen Sänger. Dazwischen erzählte sie, was in
der Kriegsschule passiert war. Das hatte sie von den jungen

---

ermahnen — an eine Pflicht erinnern

Säbel

Offizieren gehört, die immer zu Besuch kamen und mit den *Säbeln* auf der Treppe viel Lärm machten.

Ich dachte oft, wenn ich nur auch schon ein Offizier wäre, weil ich ihr dann vielleicht gefallen hätte, aber so behandelte sie mich wie einen dummen Jungen und lachte immer gemein, wenn ich eine Zigarre von ihrem Papa rauchte.

Das ärgerte mich oft, und ich bekämpfte meine Liebe zu ihr und dachte, wenn ich größer bin und als Offizier nach einem Kriege heimkomme, würde sie vielleicht froh sein. Aber dann möchte ich nicht mehr. Sonst war es aber sehr nett bei Herrn von Rupp, und ich freute mich furchtbar auf jeden Sonntag und auf das Essen und auf die Zigarre.

Der Herr von Rupp kannte auch unsern Rektor und sprach öfter mit ihm, daß er mich gern in seiner Familie habe und daß ich schon ein ordentlicher Jägersmann werde, wie mein Vater. Der Rektor muß mich aber nicht gelobt haben, denn Herr von Rupp sagte öfter zu mir: „Ich weiß wirklich nicht, was du treibst. Du mußt ein übler Lausbub sein, daß deine Professoren so gegen dich sind. Treib es nur nicht zu weit!"

Da ist auf einmal etwas passiert. Das war so. Immer wenn ich um acht Uhr früh in die Klasse ging, kam die Tochter unseres Hausmeisters, weil sie in das Institut mußte.

Busen

Sie war sehr hübsch und hatte zwei große Zöpfe mit roten Bändern daran und schon einen *Busen.* Mein Freund Raithel sagte auch immer, daß sie ein feiner *Backfisch* sei.

Zuerst wagte ich nicht, sie zu grüßen; aber einmal wagte ich es doch, und sie wurde ganz rot. Ich merkte auch, daß sie auf mich wartete, wenn ich etwas später kam. Sie blieb

---

der Backfisch — junges Mädchen, Teenager

vor dem Hause stehen und schaute in die Buchhandlung hinein, bis ich kam. Dann lachte sie freundlich, und ich nahm mir vor, sie anzureden.

Ich konnte es dann aber nicht vor Herzklopfen; einmal bin ich ganz nahe an sie hingegangen, aber als ich dort war, hustete ich bloß ein bißchen und grüßte. Ich war ganz *heiser* geworden und konnte nicht reden.

---

heiser sein — eine rauhe Stimme haben (häufig bei Erkältungen)

Der Raithel lachte mich aus und sagte, es sei doch gar nichts dabei, mit einem Backfisch ein Gespräch anzufangen. Er könnte jeden Tag drei ansprechen, wenn er möchte, aber sie seien ihm alle zu dumm.

Ich dachte viel darüber nach, und wenn ich von ihr weg war, meinte ich auch, es sei ganz leicht. Aber wenn ich sie sah, war es ganz merkwürdig und ging nicht. Da kam ich auf eine gute Idee. Ich schrieb einen Brief an sie, daß ich sie liebe, aber daß ich fürchte, sie wäre beleidigt, wenn ich sie anspreche und es ihr gestehe. Und sie sollte ihr Taschentuch in der Hand tragen und an den Mund führen, wenn es ihr recht wäre.

Den Brief steckte ich in meinen Caesar, De bello gallico, und ich wollte ihn hergeben, wenn ich sie am Morgen wieder sah. Aber das war noch schwerer.

Am ersten Tag probierte ich es gar nicht; dann am nächsten Tag hatte ich den Brief schon in der Hand, aber als sie kam, steckte ich ihn schnell in die Tasche.

Raithel sagte mir, ich solle ihn einfach hergeben und fragen, ob sie ihn verloren habe. Das nahm ich mir fest vor, aber am nächsten Tag war ihre Freundin dabei, und da ging es wieder nicht.

Ich war ganz unglücklich und steckte den Brief wieder in meinen Caesar.

Zur Strafe, weil ich so furchtsam war, gab ich mir das Ehrenwort, daß ich sie jetzt anreden und ihr alles sagen und noch dazu den Brief geben wolle. Raithel sagte, ich müsse jetzt, weil ich sonst ein Angsthase wäre. Ich sah es ein und war fest entschlossen.

Auf einmal wurde ich aufgerufen und sollte weiterlesen. Weil ich aber an die Marie gedacht hatte, wußte ich nicht einmal das Kapitel, wo wir standen, und da kriegte ich einen brennroten Kopf. Dem Professor fiel das auf, da er immer etwas gegen mich vermutete, und er ging auf mich zu.

Ich suchte schnell im Buch herum und gab meinem Nachbarn einen Tritt. „Wo stehen wir? Herrgottsakrament!" Der dumme Kerl sprach so leise, daß ich es nicht verstehen konnte, und der Professor war schon an meinem Platz. Da fiel auf einmal der Brief aus meinem Caesar und lag am Boden. Er war auf rosa Papier geschrieben, und ich hatte einen wohlriechenden Puder hineingetan.

Ich wollte schnell mit dem Fuße darauf treten, aber es ging nicht mehr. Der Professor bückte sich und hob ihn auf.

Zuerst sah er mich an und ließ seine Augen so weit heraushängen, daß man sie mit einer Schere hätte abschneiden können. Dann sah er den Brief an und roch daran, und dann nahm er ihn langsam heraus. Dabei schaute er mich immer schärfer an, und man merkte, wie es ihn freute, daß er etwas entdeckt hatte.

Er las zuerst laut vor der ganzen Klasse:

„Inniggeliebtes Fräulein! Schon oft wollte ich mich Ihnen nahen, aber ich wagte es nicht, weil ich dachte, es könnte Sie beleidigen."

Dann kam er an die Stelle vom Taschentuch, und da las er nur noch leise, daß es die andern nicht hören konnten. Und dann schüttelte er den Kopf und sagte ganz langsam:

„Unglücklicher, gehe nach Hause. Du wirst das Weitere hören." Ich war so zornig, daß ich meine Bücher an die Wand werfen wollte, weil ich ein solcher Dummkopf war.

Aber ich dachte, daß mir doch nichts geschehen könnte. Es stand nichts Schlechtes in dem Brief; bloß daß ich verliebt war. Das geht doch den Professor nichts an.

Aber es kam ganz dick.

Am nächsten Tag mußte ich gleich zum Rektor. Zuerst fragte er mich, an wen der Brief sei. Ich sagte, er sei an gar niemand. Ich hätte es bloß so geschrieben aus Spaß. Da sagte er, das sei eine infame Lüge, und ich wäre nicht bloß schlecht, sondern auch *feig*.

---

feig sein — keinen Mut haben

Da wurde ich zornig und sagte, daß in dem Brief gar nichts Gemeines darin sei, und es wäre ein braves Mädchen. Da lachte er, daß man seine gelben Zähne sah, weil ich mich *verraten* hatte. Und er fragte immer nach dem Namen. Jetzt war mir alles gleich, und ich sagte, daß kein anständiger Mann den Namen verrät, und ich täte es niemals. Da schaute er mich recht falsch an und sagte: „Du bist eine verdorbene Pflanze in unserem Garten. Wir werden dich ausreißen. Dein Lügen hilft dir gar nichts; ich weiß recht wohl, an wen der Brief ist. Hinaus!"

Ich mußte in die Klasse zurückgehen, und am Nachmittag war Konferenz.

Der Rektor und der Religionslehrer wollten mich aus der Schule werfen. Das hat mir der Pedell gesagt. Aber die andern halfen mir, und ich bekam acht Stunden Karzer. Das hätte mich gar nicht gestört, wenn nicht das andere gewesen wäre.

Ich kriegte einige Tage darauf einen Brief von meiner Mama. Da lag ein Brief von Herrn von Rupp bei, daß es ihm leid täte, aber er könne mich nicht mehr einladen, weil ihm der Rektor mitteilte, daß ich einen dummen Liebesbrief an seine Tochter geschrieben habe. Er mache sich nichts daraus, aber ich hätte sie doch kompromittiert. Und meine Mama schrieb, sie wüßte nicht, was noch aus mir wird.

Ich war ganz wütend über die Gemeinheit; zuerst weinte ich, und dann wollte ich vom Rektor eine Erklärung verlangen; aber dann ließ ich es und ging zu Herrn von Rupp.

Das Mädchen sagte, es sei niemand zu Hause, aber das war nicht wahr, weil ich draußen die Stimme der Frau von

---

verraten — etw sagen, was man geheim halten wollte

Rupp gehört habe. Ich kam noch einmal, und da war Herr von Rupp da. Ich erzählte ihm alles ganz genau, aber als ich fertig war, drückte er das linke Auge zu und sagte: „Du bist schon ein schlimmer Lausbub. Es liegt mir ja gar nichts daran, aber meiner Frau." Und dann gab er mir eine Zigarre und sagte, ich solle nun ganz ruhig heimgehen.

Er hat mir kein Wort geglaubt und hat mich nicht mehr eingeladen, weil man es nicht für möglich hält, daß ein Rektor lügt.

Man meint immer, der Schüler lügt.

Ich bin lange nicht mehr lustig gewesen. Und einmal bin ich dem Fräulein von Rupp begegnet. Sie ist mit ein paar Freundinnen gegangen, und da haben sie sich angestoßen und haben gelacht. Und sie haben sich noch umgedreht und immer wieder gelacht.

Wenn ich auf die Universität komme und Student bin, und wenn sie mit mir tanzen wollen, lasse ich die Gänse einfach sitzen.

Fragen

1. Wer war Herr von Rupp?
2. Warum ging Ludwig gern zu ihm?
3. Wofür interessierte sich Fräulein von Rupp?
4. Warum kam Ludwig mit der Tochter des Hausmeisters nicht ins Gespräch?
5. Was tat der Lehrer, als er den Brief entdeckte?
6. Wie reagierte der Rektor auf den Brief?
7. Was für Folgen hatte die ganze Geschichte für Ludwig?
8. Wie benahm sich Fräulein von Rupp?
9. Warum meinen die Erwachsenen, daß der Schüler lügt?

Das Baby

In den Osterferien sind der Bindinger und die Marie gekommen, weil er jetzt Professor in Regensburg war und
nicht mehr hier bei uns.

Sie haben ihr kleines Kind mitgebracht. Das ist jetzt zwei
Jahre alt und heißt auch Marie. Meine Schwester ruft es
aber Mimi, und meine Mutter sagt immer Mimili. Wie es
der Bindinger nennt, weiß ich nicht genau. Er sagt oft
Mädele, aber meistens, wenn er damit redet, spitzt er seinen Mund und sagt: „Duzi, duzi! Du du!"

Es hat einen sehr großen Kopf, und die Nase geht so
nach oben wie beim Bindinger. Den ganzen Tag hat es den
Finger im Mund und schaut einen so dumm an.

Meine Mutter rief: „Ja, Ludwig, du hast ja Mimili noch gar nicht begrüßt und siehst doch deine kleine *Nichte* zum erstenmal! Sieh nur her! Wie lieb und hübsch sie ist!"

Ich fand sie gar nicht hübsch; sie war wie alle kleinen Kinder. Aber ich tat so, als wenn sie mir gefällt, und lachte recht freundlich. Das freute meine gute Mutter, und sie sagte zu Marie: „Siehst du? Ich wußte es gleich, daß ihm Mimili gefallen wird. Sie ist auch zu goldig!"

Im Wohnzimmer war ein Frühstück vorbereitet; unsere Kathi mußte Bratwürste holen, und es gab Bier dazu.

Ich freute mich, aber die anderen hatten keine Zeit zum Essen, weil sie immer um das Kind herum waren.

Es mußte seine Hände herzeigen, und als ihm die Mütze abgenommen wurde, sah man, daß es blonde Locken hatte, und da schrien sie wieder, als ob es was Besonderes wäre.

Meine Mutter küßte es auf den Kopf, und Marie sagte in einem fort: „Mimi, das ist deine Omama!" Und der Bindinger bückte sich, daß er ganz rot wurde, und sagte: „Du, du! Duzi, duzi!"

Ich war froh, als sie endlich saßen und das Kind auf dem Sofa ließen, denn die Bratwürste waren schon kalt.

Jetzt fingen wir an zu essen und zu trinken und stießen mit den Gläsern auf fröhliche Ostern an.

Meine Mutter sagte, daß sie schon lange nicht mehr so vergnügt gewesen ist, weil wir alle zusammen sind und Marie so gut aussieht, und das herzige Mimili. Und ich hätte auch ein besseres Zeugnis heimgebracht als sonst.

Ich mußte es dem Bindinger bringen, und er las es vor.

---

die Nichte — Tochter der Schwester oder des Bruders

„Der Schüler könnte bei seiner durchschnittlichen Intelligenz durch größeren Fleiß immerhin Besseres leisten."

Dann kamen die Noten. Lateinische Sprache III.

„Hm! Hm!", sagte der Bindinger, „das habe ich vermutet. Mathematik II–III, griechische Sprache III–IV."

„Warum bist du hierin so schwach?" fragte er mich.

„Über das Griechische klagt Ludwig oft", sagte meine Mutter, „es muß sehr schwierig sein."

Ich wollte, sie hätte mich nicht verteidigt; denn der Bindinger redete jetzt so viel, daß mir ganz schlecht wurde.

Er strich seinen Bart und tat, als ob er in der Schule wäre.

„Wie kann man eine solche Ansicht haben!" sagte er.

„Das ist sehr traurig, wenn man diesen falschen Meinungen immer und immer wieder begegnet. Gerade die griechische Sprache ist wegen der Klarheit der Form hervorragend leicht. Sie ist spielend leicht zu erlernen!"

„Warum hast du dann III–IV?" fragte mich meine Mutter.

„Du mußt jetzt sagen, wo es fehlt, Ludwig."

Ich war froh, daß der Bindinger nicht wartete, was ich sagen werde. Er legte ein Bein über das andere und sah auf die Decke hinauf und redete immer lauter.

„Haha!" sagte er, „die griechische Sprache schwierig? Ich wollte noch schweigen, wenn ihr den dorischen Dialekt im Auge hättet, da seine härtere Mundart gewisse Schwierigkeiten bietet. Aber der attische, diese glückliche Ausbildung des altjonischen Dialektes! Das ist unglaublich! Diese Behauptung läßt ein böses *Vorurteil* erkennen!"

Meine Mutter war ganz unglücklich und sagte immer:

„Aber ich meinte bloß . . . aber weil Ludwig . . ."

Marie half ihr auch und sagte: „Heini, du mußt doch denken, daß Mama es nicht böse meint."

Da hörte er auf, und ich dachte, daß er immer noch so dumm ist wie früher.

„Heini ist furchtbar fleißig in seinem Beruf; sonst ist er so gut; aber da wird er gleich heftig", sagte Marie, und meine Mutter war gleich wieder lustig.

„Das muß sein", sagte sie, „in seinem Beruf muß man fleißig sein. Und du weißt jetzt, Ludwig, wie leicht das Griechische ist. Ja, was macht denn das kleine Mimili? Das sitzt so brav da und sagt gar nichts!"

Das Mädel schaute meine Mutter an und lachte. Auf einmal machte es seinen Mund auf und sagte: „Gugu-dada."

Es schlug mit den Beinen an den Tisch und streckte seine

---

das Vorurteil – falsches Urteil, ohne sachliches Fundament

Hand dabei aus. Es war doch gar nichts, aber alle taten, als wenn ein *Wunder* gewesen ist.

Meine Mutter war ganz außer sich und rief immer: „Habt ihr gehört! Das Kind! Gugu-dada!"

„Sie meint, der gute Papa. Nicht, Mimi? Und die liebe Omama!" sagte Marie.

„Nein, wie das Kind klug ist!" sagte meine Mutter. „In dem Alter! Das habe ich noch nicht erlebt. Das liebe Herzchen!"

Der Bindinger lachte auch, daß man seine großen Zähne sah. Er bückte sich über den Tisch und stach dem Mädchen mit dem Zeigefinger in den Bauch und sagte: „Wart, du Kleine, duzi, duzi!" Und zu meiner Mutter sagte er: „Sie hat einen lebhaften Geist und beobachtet ihre Umgebung mit erstaunlicher Teilnahme. Ich hoffe, daß sie sich in dieser Richtung weiterentwickelt."

Meine Mutter wollte, daß ich es auch sehe, aber ich war so böse auf den Bindinger und fragte: „Was hat es denn gesagt?"

„Hast du nicht gehört, wie sie ganz deutlich sagte: Gugu-dada?"

„Das ist doch gar nichts", sagte ich.

„Es heißt der gute Papa", sagte Marie und wurde ganz weinerlich. „Du bist recht häßlich, Ludwig!"

„Wie kannst du das nicht verstehen", sagte meine Mutter und schaute mich zornig an. „Das versteht jeder Mensch."

„Ich kann es gar nicht verstehen", sagte ich.

„Weil du überhaupt nichts weißt, übler Bursche!" schrie Bindinger und machte blitzende Augen, wie in der Schule;

---

das Wunder – etw Großartiges, Merkwürdiges, Unerwartetes

„wenn du jemals den Aristoteles kennenlernen wirst, so wirst du verstehen, daß die Sprache unseres Kindes die onomato-poetische, die *schallnachahmende* Wortbildung ist."

---

schallnachahmend – Töne imitierend

Er brüllte so laut, daß das Kind zu weinen anfing. Marie nahm es auf den Arm und ging damit auf und ab. Meine Mutter ging daneben und sagte: „Will das Kind lustig sein? Will das Kindchen nicht mehr sprechen, gugu-dada?"

Aber der Bindinger lief hinterher und sagte: „Nein, es soll nicht sprechen! Es soll hier nicht mehr sprechen! Dieser Bursche hat vor nichts Achtung."

Ich machte mir aber gar nichts daraus.

Fragen

1. Wie nannten die einzelnen Familienmitglieder das Baby?
2. Was beobachtete Ludwig an seiner Nichte?
3. Warum mußte Ludwig auf das Frühstück warten?
4. Was für Noten hatte Ludwig in seinem Zeugnis?
5. Was erzählte Bindinger über die griechische Sprache?
6. Was bewunderten die Großen an dem kleinen Kind?
7. Warum wurde der Schwager so böse auf Ludwig?
8. Was ist typisch für Ludwig in all seinen Geschichten? Was bringt ihn immer wieder in Gegensatz zu den Erwachsenen?